España y el Viento
León Felipe

León Felipe

España y el viento

Libertarias/Prodhufi

Primera edición: Septiembre, 1993

Cubierta y disposición tipográfica de
María Herrero, que cuidó la edición
Dibujo de la cubierta: *Vlady*
Busto de León Felipe de *Victorio Macho*

© *Alejandro Finisterre*
© *Libertarias*/**Prodhufi, S.A.**
C. Lérida, 80-82
28020 Madrid
Tel.: 571 85 83 - 571 21 61
Fax: 571 84 83
I.S.B.N.: 84-7954-174-1
Depósito Legal: M-23.628-1993
Impreso en España/Printed in Spain

PRESENTACIÓN

España y el Viento es una conferencia inédita que León Felipe pronunció en la ciudad mexicana de Torreón el año 1949. Acababa de regresar de su gran viaje por toda Hispanoamérica, menos Honduras y Paraguay en donde no le permitieron entrar los dictadores de turno. Durante más de dos años, desde 1946 a 1948, dio conferencias y lecturas de poemas siempre dentro de una gran expectación y un éxito excepcionales.

Fue entonces y en estos países hermanos en donde «voces extrañas y celestes le anunciaran que había de venir a ser no un ciudadano de México... de Guatemala... de Nicaragüa... de Costa Rica... de Colombia... de Venezuela... del Perú... de Bolivia... de Chile... de Argentina... del Uruguay... sino ser *ciudadano de América*» (aspiración de otro gran español contemporáneo, José Ortega y Gasset, de un día llegar a ser sobrenombrado *el Americano).*

«He perdido la España matriz —clama León Felipe—, la vieja España europea y africana donde nací... pero aquí... se me ha multiplicado la patria... Y a cada paso que doy... una puerta nueva se me abre... y una cara amable, sonriente y familiar... se adelanta siempre para decir: ¡Pasa... ésa es tu mansión!».

España y el Viento es autobiografía y testamento en donde el poeta manifiesta lo que para muchos va a ser una sorpresa: «Yo no fui nunca político. Ni antes de la guerra, ni durante la guerra... ni ahora mismo lo soy. No.

Soy español de un *mundo poético* que está en otras dimensiones que el Mundo histórico español —republicano, franquista o monárquico— y que yo he llamado el español del Éxodo y del Viento».

En esta conferencia León Felipe se dirige a todos los españoles *transterrados,* «refugiados» o «gachupines», usando estas dos palabras en su sentido histórico con la definición que se les da en México (exiliado político y emigrante económico) y con un acento ya para los dos «de amor y simpatía»:

«Ni a Cortés le trajo aquí el deseo de lucro (antes explica León Felipe poéticamente por qué), ni a vosotros la deserción o la ambición, ni a nostros nos empujó Franco... Franco no fue más que un pretexto, el personaje necesario para la tragedia, el Judas fatal que había de nacer para que se cumplieran las Escrituras. Alguien tenía que vender al Cristo».

«...A Colón, a Cortés, a los conquistadores, a los aventureros, a los gachupines y a los refugiados... ¡A todos nos trajo el Viento aquí...! ¡El Viento!

«El Viento... es la Historia... el Destino... ¡Dios!... ¡Somos hijos del Viento!

«Y todos juntos, desde Colón hasta el más humilde y el último de los refugiados... constituimos ya un solo cuerpo, un solo grupo... *un símbolo...* fuera del Tiempo y del Espacio... en la dimensión poética y sagrada del Viento... Del Viento... que empuja ahora una *sola galera* donde lo español esencial (limpio ya de la escoria y el peso temporal, purificado como a la hora misma de morir, cuando la sangre se ofrece generosamente en holocausto redentor) queda sólo hecho verbo y espíritu amoroso...».

«España... la España del Éxodo... es hoy esta simbólica y única galera, con su carga ligera y luminosa, llevada por el Viento, en el mar borrascoso e infinito de la Historia...

«Rubén Darío en un instante lúcido de videncia, vio esta galera fuera del tiempo y cargada con lo más genuino y sagrado de la raza: con el verbo... con la palabra... *con el idioma*... y con la sangre redentora y fecunda de Jesucristo —cuando escribió:

> Dejad que siga y vogue la galera
> bajo la tempestad... sobre la ola...
> va con rumbo a una atlántida española
> en donde el porvenir *calla... y espera*.
>
> No se apague el rencor ni el odio muera
> ante el pendón que el bárbaro enarbola.
> Si un día la *justicia* estuvo sola...
> lo sentirá la Humanidad entera.
>
> Que vogue entre las aguas espumantes
> y siga la galera que ya ha visto
> cómo son las tormentas de inconstantes
>
> las velas al destino... el viento listo...
> que va en el puente el capitán Cervantes...
> y arriba flota el pabellón de Cristo.

«Verbo y sangre fecunda y redentora *en el Viento*. Eso somos nosotros... La España... Hija el Viento».

Varias veces estuvo a punto de publicarse esta conferencia. La última dentro de las conmemoraciones del famoso V Centenario. Diversas causas lo impidieron. Por fin ve la luz en las ediciones apellidadas, muy del gusto de León Felipe, Libertarias.

Al principio dijimos que *España y el Viento* es obra inédita, y lo es aunque el autor use aquí fragmentos de otras. León Felipe en el curso de esta conferencia la llama antología. Una antología hecha por el Viento. «Él ha hecho esta antología —dice—... ¡Ésta!... Ésta que recojo aquí esta noche... Él ha cambiado y organizado mis versos... añadiendo unos nuevos y eliminando otros según su ley, y lo ha juntado todo de una manera distinta a como yo lo había escrito en mis libros. Se escribe dentro de un plan que el poeta ignora al comenzar... y que conoce sólo el Viento».

A.F.

ESPAÑA Y EL VIENTO

Mexicanos... hombres y mujeres. Amigos y poetas de Torreón. Españoles. Los que vinísteis aquí ayer... y los que apenas acabáis de llegar. *Gachupines y refugiados...* Españoles del Éxodo y del Viento.

Debo presentar mi tarjeta, mi cédula antes de empezar. No soy propiamente un español de los que se llaman «Refugiados». Tampoco soy «gachupín». Y voy a usar estas dos palabras ya en su sentido histórico, con la definición que les damos en México y con un acento ya para los dos de amor y simpatía.

Vine a América hace casi 30 años. Viví en México y en los EE.UU. la mayor parte del tiempo, antes de que comenzase la guerra de España. Cuando esta guerra llegó, me volví a España, al lado de la República porque creí que allí se defendía la Justicia.

Yo no fui nunca político. Ni antes de la guerra, ni durante la guerra, ni ahora mismo lo soy. No digo esto para congraciarme con nadie ni para enemistarme con ninguno. Si no para afirmar *orgullosamente* nada más que soy un español de otro mundo, no un español de esos de la 3.ª España. No. Soy español de un *mundo poético* que está en otras dimensiones que el mundo histórico español —republicano, franquista o monárquico— y que yo he llamado el español del Éxodo y del Viento. De este español —lejos de toda clase de política histórica— voy a hablar aquí esta noche.

> Español del éxodo y del viento
> no tienes patria ni tribu.
> *Ni espada.*
> Si puedes
> hunde tus raíces y tus sueños
> en la lluvia ecuménica del sol,
> Y yérguete... ¡yérguete!
> que tal vez el hombre de este tiempo
> es el hombre movible de la Luz
> del Éxodo y del Viento.

En realidad todos los españoles de América somos hijos del Viento.

Los españoles del Éxodo, ahora que los judíos buscan y encuentran su tierra prometida... somos hijos del Viento. Aunque el éxodo español, movido por el Viento... es muy antiguo. El viento, un viento sagrado empujó en el siglo XV las carabelas de Colón... Más tarde —del XVI al XVIII— *el mismo viento empuja* las galeras de la Colonia cargadas de aventureros. Luego en el siglo XIX *el mismo viento* empuja los vapores de la trasatlántica con las bodegas repletas de mozos humildes de las montañas de Galicia, de Santander, de Asturias, de Vizcaya, de los Pirineos catalanes, de mozos peninsulares que venían a probar fortuna... y a *convertirse en gachupines,* en estas tierras que ya no eran de los reyes de Castillla... Y hace ahora diez años, *el mismo viento sagrado,* empujó los barcos que llegaron a Veracruz, con los refugiados políticos derrotados, que Franco arrojó de España como un fruto podrido, como una semilla maldita...

¡*A todos nos arrojaron!*... a Colón, a Cortés, a los conquistadores, a los aventureros... a los gachupines... y *a los refugiados...*

¡*A todos nos trajo el Viento aquí!*... ¡*El Viento!* El Viento... es la Historia... el Destino... ¡Dios!... ¡*Somos hijos del Viento!*

Y todos juntos, desde Colón hasta el más humilde y el último de los refugiados... constituimos ya un solo cuerpo, un solo grupo... *un símbolo...,* fuera del Tiempo y del Espacio... en la dimensión poética y sagrada del Viento... Del Viento... que empuja ahora una *sola galera* donde lo español esencial (limpio ya de la escoria y el peso temporal, purificado como a la hora misma de morir, cuando la sangre se ofrece generosamente, en holocausto redentor) queda sólo hecho verbo y espíritu amoroso...

España... la España del Éxodo... es hoy esta simbólica y única galera, con su carga ligera y luminosa, llevada por el Viento, en el mar borrascoso e infinito de la Historia...

Rubén Darío en un instante lúcido de videncia, vio esta galera fuera del tiempo y cargada con lo más genuino y sagrado de la raza: con el verbo... con la palabra... *con el idioma...* y con la sangre redentora y fecunda de Jesucristo cuando escribió este soneto:

«Dejad que siga y vogue la galera
bajo la tempestad... sobre la ola...
va con rumbo a una atlántida española...
en donde el porvenir *calla... y espera.*

No se apague el rencor ni el odio muera
ante el pendón quel bárbaro enarbola.
Si un día la *justicia* estuvo sola...
lo sentirá la Humaniidad entera.

Que vogue entre las aguas espumantes
y siga la galera que ya ha visto...
como son las tormentas de inconstantes

las velas al destino... el Viento listo...
que va en el puente el capitán Cervantes...
y arriba flota el pabellón de Cristo.

Verbo y sangre fecunda y redentora, *en el Vien-*

to. Eso somos nosotros. La España… Hija del Viento. La que fecundó y redimió la vieja y noble sangre mexicana.

Yo también soy hijo del viento.

Hijo… y *esclavo* del Viento… ¡*Esclavo!*… A veces me rebelo contra este destino y grito inútilmente: ¡*Yo no soy nadie!*… Viento… ¡*déjame dormir!*…

Pero el Viento se hace entonces de tormenta… y me grita como un trueno: «¡Levántate!… Ve a Nínive, ciudad grande, y pregona contra ella».

No hago caso, huyo por el mar, y me tumbo en el rincón más oscuro de la nave…

Hasta que el Viento terco que me sigue, vuelve a gritarme otra vez: «Qué haces ahí, dormilón… ¡*levántate!*

—Yo no soy nadie —digo— un ciego que no sabe cantar… Déjame dormir».

Pero el Viento, ese Viento de tormenta, que busca un embudo de trasvase, dice junto a mí, dándome con el pie: Aquí está… haré bocina con este hueco y viejo cono de metal. Meteré por él mi palabra y llenaré de vino nuevo la vieja cuba del mundo…¡*Levántate!*

—Yo no soy nadie… ¡*déjame dormir!*.

Pero un día me arrojaron al abismo… las aguas amargas me rodearon hasta el alma… la ova se enredó a mi cabeza… llegué hasta las raíces de los montes... la Tierra echó sobre mí sus cerraduras para siempre. ¿Para siempre?... Quiero decir que he estado en el fondo del mar... en el vientre oscuro de la Tierra... Quiero decir: ¡que he *estado en el infierno!*

De allí traigo ahora mi palabra... Y no canto la destrucción... Apoyo mi lira sobre la cresta más alta de los símbolos. *Yo soy Jonás.*

Y... ¿quién es Jonás?... Contaré su historia de otro modo. Hay profetas fatales... y falsos profetas. Pero Jonás es un profeta grotesco... sin vocación y sin prestigio. Es la voz que no acierta nunca. Él lo sabe. Por eso desconfía y se esconde. Le han engañado muchas veces y piensa que el Viento le busca para reírse de él... Tal vez sea un *tímido...* o, como ahora se dice, *un resentido destemplado...* No quiere ser pregonero de nadie: ni divino ni municipal; ni de Jehová ni del alcalde... ¡Que *pregonen* otros!... Se niega a ir a Nínive a decir su profecía... y huye del Viento que le llama... Se escapa y se mete en la bodega de un barco que zarpa para Tarsis.

Allí se echa a dormir... Lo que le gusta es dormir. Y más que dormir ¡morir!... Su placer más grande sería pasar del sueño a la muerte... Después de su fracaso en Nínive, le dice tres veces al Viento: «Para mí mejor es ya morir que vivir»... Cuando le despiertan en la nave, y la suerte le señala como el verdadero causante de la tormenta, les ataja a los marineros con estas palabras enseguida: «Tomadme... y echadme a la mar»... Le salva la ballena. En la ballena duerme tres días. Duerme y sueña... Su oración es un sueño. Se despierta cuando el pez le vomita en la playa... pero se duerme enseguida otra vez... Sólo nos le imaginamos tumbado. Siempre que le habla el Viento le dice: «levántate». Cuando va a buscarle a su casa le encuentra acostado en un camastro. Anda porque el Viento le remolca, le empuja, le aguija. Y habla porque se lo mandan, porque se lo apuntan...

Cuando entra al fin Jonás en Nínive, aquella ciudad tan grande, de cuatro días de andadura para recorrer su cerco, dice sin ganas y sin maña, como cualquier desgarbado racionista: «De aquí a cuarenta días, Nínive será derrumbada»... Y enseguida se sube a un cerro, y se tumba, para ver cómo se desploman las torres. Pero nada se desploma... Pasan cuarenta días... y Nínive queda intacta.

Entonces se irrita Jonás... Entonces se irrita Jonás y dice: «El Viento me ha engañado otra vez»... Mas no es el Viento quien le engaña, sino los perversos habitantes de Nínive, los cuáles no eran tan perversos, porque se arrepienten, hacen penitencia, ganan la misericordia de Jehová... y ¡no se cumplen las profecías!

Al final, Jonás se enfrenta vanidosamente con el Viento y le pide cuentas a la Misericordia... Entonces el Viento le regala, irónicamente, una calabacera mordida por un gusano implacable para *derrumbar* la vanidad de profeta.

Yo no soy nadie. Yo no soy más que un hueco y viejo embudo de trasiego, por donde, a pesar de mi voluntad, que no quisiera más que dormir... el Viento sopla, a veces, y articula unas palabras.

¡Yo no soy nadie!... un ciego que no sabe cantar... un vagabundo sin oficio y sin gremio... Una mezcla extraña de viento y de sonámbulo... Un poeta irrisible... un poeta grotesco... El gran clown de la Biblia... El profeta que no acierta jamás... Yo no he acertado nunca.

En mis poemas he dicho a los españoles algunas cosas dictadas por el Viento... y todos se han reído de mí porque no acerté nunca... Aún se siguen riendo... Aún nos estamos riendo todos... Todos... Yo también, yo también me regocijo y río porque no se cumplieron las profecías... ¡Dejadme reír otra vez!...

¡Qué alegría!... Qué alegría saber que ahora mis elegías, todas mis elegías... La Insignia... El payaso de las bofetadas... El Hacha... la Oda Rota... no son más que un mundo de trampa y de cortina, un sitio equivocado de sombras y delirio... y que cualquiera... tú, por ejemplo... pueda decir al escucharlas o acabar de leerlas... ¡Eh, señores, ríamonos de nuevo, que todo han sido chanzas de Juglar.

Pero el profeta no es el que predice y adivina... Fue siempre un instrumento de Jehová para amonestar a su pueblo... Y profeta puede ser cualquiera...

el más simple... el más humilde... el más ignorante... Para la palabra de Dios, la boca más sencilla es, tal vez, la más apropiada...

La voz de los profetas —*recordadla*— es la que tiene más sabor *de barro*... Del barro que ha hecho al árbol, al naranjo y al pino, del barro que ha formado nuestro cuerpo también.

La voz de los profetas es el grito de la tierra ultrajada... El grito del hombre en defensa de la justicia divina... Y yo no soy más que un hombre... Un hombre español... El Jonás español.

Ahora bien lo español es lo específico... pero no lo permanente. Hoy cuenta todavía... y es necesario consignarlo. Mañana el género habrá devorado a la especie...

El género... el género... ¿es la Historia?... Yo pienso que es una fuerza sorda y una vaga conciencia... llevada por el Viento. Poéticamente... para definirla un día levanté entre mis manos, como Hamlet, el cráneo de Neanderthal, el cráneo primero del mundo, «la esfera ósea», «la calavera seca y monda de Adam», «la poma sagrada y redonda del árbol de la vida»... y dije: *Esta es la Historia.*

La Historia desnuda y sonora del Hombre:

Un cráneo... un solo cráneo... un cráneo duro...
un cráneo común y universal...
un instrumento musical de barro mostrenco,
batido por la lluvia, cocido y recocido por
[el Sol

y rescatado por el Viento...
una flauta sin amo —esta flauta es de todos—
un caracol inmenso, duro y salado,
donde suenan la vida, el Mar... el *llanto*...

Y el Viento es el que sopla en este único cráneo,
viejo y sonoro... *que hace la Historia*...
Una Historia desnuda.
Sin números, sin nombres... y sin paños

La Historia... la hace el Viento.
Y la *Poesía también*...

El Hombre trabaja, inventa, lucha, canta... Pero
el Viento es el que organiza y selecciona las hazañas, las conquistas, los milagros, las canciones...
Contra el Viento no puede nada la voluntad del
Hombre. Yo cuando el Viento ha huido a su caverna... me tumbo a dormir. Me levanto cuando Él
me llama, ululante, y me empuja. Escribo cuando Él me lo manda. Luego con lo que escribo —con
mis versos— hace Él un revoltijo de naipes, de los
que acaso no se salven mañana... ni el As... ni la
Reina...

El Viento es un exigente cosechero:
El que elige el trigo, la uva... y el verso...
El que sella el buen pan, el buen vino...
[y el poema eterno...

22

Y al fin de cuentas, mi último antólogo
                    [fidedigno...
será Él... el *Viento*...
El Viento es quien se lleva a la aventura
el discurso y la canción... *¡El Viento!*
Antólogos... historiadores, arqueólogos,
                    [eruditos... coleccionistas...
el que decide... *es el Viento*

Él ha hecho esta antología... ¡Ésta!... Ésta que recojo aquí esta noche... esto que voy a decir aquí ahora. Él ha cambiado y organizado mis versos añadiendo unos nuevos y eliminando otros según su ley, y lo ha juntado todo de una manera distinta a como yo lo había escrito en mis libros. Se escribe dentro de un plan que el poeta ignora al comenzar... y que conoce sólo el Viento... Y los poemas impresos siguen siendo borradores sin corregir ni terminar y abiertos a cualquier luminosa colaboración. Aún muerto el poeta que los inició, puede otro, después, venir a seguirlos, a modificarlos, a completarlos, a unificarlos, a *fundirlos* en el Gran Poema Universal... Y tal vez sea el mismo y único poeta el que venga. Porque acaso no haya más que un solo poeta en el Mundo: *El embudo y el Viento*... El Viento salva sólo lo que debe salvarse... lo que tiene que entrar en el Arca... lo que puede servir para levantar la mansión futura... poética y luminosa del Hombre... Ciertos ladrillos de la cúpula rota, algunas piedras de la Torre caída... El oro... ya lejos de su ganga.

Todo esto es obra del Viento. Yo le dejo hacer... Que me traiga y que me lleve a su capricho... Ante Él... no *quiero* tener voluntad... Apenas intervengo en sus designios... Me dejo conducir, sin resistencia, por este poderoso mentor aventurero que va creando poéticamente la Historia.

Juega con mis versos... y conmigo... *¡Conmigo!* Él me arrancó de España, hace ahora diez años... y con mis viejas raíces, húmedas aún... y llenas de arcilla castellana —como un sancristobalón, cruzando el mar tenebroso... me trajo sobre sus hombros hasta aquí— ¿Qué creíais... que fue Franco el que nos empujó, el que me trajo a este continente? *No...* Fue el *Viento...* Nosotros somos la España del Viento... Porque hay la España del Viento y la España de la Tierra. La España de la Tierra se extiende allá en Europa entre el Africa y los Pirineos... La España del Viento, *la nuestra limita al Norte* —anotad esto bien— limita al Norte con la Pasión; al Este con el Orgullo; al Sur con el lago de los Estoicos; y al Oeste con una puerta inmensa que mira al mar y a un cielo de nuevas constelaciones...

Por esta puerta de Occidente nos empujó el Viento, la Historia... Dios... hacia los brazos abiertos de América.

La Historia... Dios... el *Viento...* se vale de mil subterfugios y artimañas para que se cumplan las profecías... y lo que está escrito en los *Libros Sagrados,* desde hace muchos siglos...

A veces el español se confina, voluntariamente, en

su terruño… se apoltrona… y sólo le gusta tomar el sol en el atrio de la iglesia de su pueblo… Últimamente el español se había hecho hogareño y doméstico… Aquel hijo de los conquistadores y de los misioneros, vivía ya solo, como un maniático en su casona solariega, comiéndose un puñado de bellotas… Creía que ya no tenía nada que hacer en el mundo… y apenas se asomaba a la ventana. Un día el Viento se levantó, malhumorado, y sacudió el polvo de la tierra… El español no entendió aquel signo.

Entonces, el Viento se hizo más fuerte… y lo revolvió todo… A esto lo llamamos la Revolución… La *Guerra…* Pero no fue más que una triquiñuela del Viento.

Al final de la contienda, después de mil episodios y disputas… el Viento se hizo vendaval y borrasca… y empujó a unos españoles, a ciertos españoles elegidos… hacia la gran puerta que mira al mar y a las estrellas… *Por allí salimos.* Por allí salieron los refugiados, los últimos españoles del Éxodo y del Viento… *Por allí salí yo.*

Entonces Franco dijo: He limpiado la nación… He arrojado de la Patria la carroña y la cizaña…

Pero el Viento… la Historia… *Dios…* habló de esta manera: He salvado la semilla mejor… *Y aquí nos trajo.*

Como os trajo a vosotros, los gachupines, hace ahora 50 ó 70 años. ¿Qué creíais, que vinisteis aquí por no servir al Rey, y por no arar el feudo de un señor… o para amasar una fortuna?

No. Os trajo Dios… el Viento, como a nosotros para destinos más altos. También Cortés creía que había venido aquí para ganar unos dineros y pagar unas deudas de juego que había dejado en Cuba entre los soldados de Velázquez. Pero luego cuan pisa esta tierra, sube a la meseta y ve el reino maravilloso de Moctezuma, se da cuenta de que le envía Dios... el Viento, y es cuando baja otra vez a Veracruz y manda quemar las naves... De aquí no se va ya nadie. Todo fue una trinquiñuela del Viento.

Ni a Cortés le trajo aquí el deseo de lucro, ni a vosotros la deserción o la ambición, ni a nosotros nos empujó Franco... Franco no fue más que un pretexto, el personaje necesario para la tragedia, el Judas fatal que había de nacer para que se cumpliesen las Escrituras. Alguien tenía que vender al Cristo. ¿No sabéis que el pueblo español es el Cristo colectivo? Luego explicaré esto.

Franco no es nadie. Un fantasma negro. Y el Viento es el que trabaja, el que organiza y define el triunfo final de la batalla... ¡El Viento! El Viento hace la Historia. ¿Es esto hablar de política? No. Esto no es política, esto es poesía.

Y ese mismo Viento que me trajo hasta México, es el que hace ahora tres años me llevó en un lento peregrinaje por todo Hispano-América, cantando esta canción, la misma canción que vengo a cantar aquí esta noche.

No hay rincón de esta tierra americana donde no me haya conducido para cantar esta canción. Primero me llevó por todo Centro-América. Después me cruzó el Itsmo... Y en su gran pico de águila me subió hasta lo más eminente de los Andes venezolanos y de la cordillera boliviana...

Me depositó en ciudades de aventuras legendarias, de luces deslumbrantes...

de gentes polícromas y heterogéneas...

Me mostró los cauces gigantescos de los ríos.

Lagos, como piélagos,

bosques inmensos...

pampas desoladas...

los largos calveros esteparios de la serranía...

las tierras heladas de la Patagonia...

y el mapa, en fin, monstruoso de América... donde las fronteras de los pueblos parecen trazadas por un cerebro loco, injusto y perverso.

Ahora, cuando yo creía que iba a deshacerme en la tempestad, en el trueno y en la nube, me ha vuelto a México otra vez...

Allá, en la ciudad, en el barullo babélico de la ciudad, he vivido unos meses sin alegría... México, la gran metrópoli, se ha vestido, durante mi ausencia, de no se qué ropajes extraños que yo no conocía. Creo que a mi no me ha conocido nadie tampoco... He estado allí como el mascarón roto e inútil de un barco varado. Hasta que al fin me sentí con la fiebre acuciosa de escaparme otra vez. Huí de nuevo. Una mañana me dije: me iré hacia el norte, a una ciudad lejana, donde nadie sepa quién soy y donde pueda sentarme en un banco cualquiera de la plaza a ver pasar la gente y a ver morir los días... Y en huida y sin rumbo crucé unas cuantas ciudades hasta llegar aquí. Me gustó este paisaje bíblico desolado y ardiente que se parece a los campos austeros e inclementes de la Castilla donde yo nací. Esta es mi tierra grité y decidí quedarme unas semanas entre estas dos ciudades de Coahuila y de Durango separadas por un río lírico y humilde con viñas y huertas en los márgenes... Pero una mañana en un café me encontré con mi viejo amigo Casau... y todo se me complicó otra vez. Me llevó a su librería, me presentó a escritores, pintores y poetas... y entre todos mes han traído aquí esta noche. ¿Entre todos?... ¿No habrá sido el viento, ese viento terco y astuto que me empuja y me lleva donde a él se le antoja sin contar conmigo para nada? Sí, el Viento otra vez es el que me ha traído a Torreón, me ha conducido a este elegante casino, metido por esta sala y me ha subido a esta tribuna, donde, desde luego, no hay ninguna silla para mí.

Esta silla no es la mía.

Yo no tengo silla.

Tengo miedo a todas las sillas doctorales, a todos los púlpitos dogmáticos y a todas las tribunas demagógicas...

Creo que el Viento no me ha traído hasta aquí para disputarle su sitito

ni el líder,

ni al párroco

ni al profesor...

Yo *no soy el profesor.*

No vengo a enseñar nada...
Ni a repartir catecismos... ni consignas...
No vengo a conspirar tampoco...
Ni a ganar prosélitos para una nueva causa...
Ni a lanzar vítores o protestas debajo del balcón del Presidente municipal.
Y no me envía nadie: Ni el demócrata... ni el Tirano... ni el Vaticano... ni el Kremlin.
No pertenezco a ninguna cofradía...
y no soy súbdito de ninguna nación...

No tengo ni silla... ni casa... ni patria... ni Templo... ¡Me lo han robado todo!... Y me he quedado desnudo... ¡Desnudo!... *Sólo con mi canción... Con mi canción en el Viento...* Soy un español del lado de la canción en el Viento...

Que hay dos Españas que podemos llamar también... la del Soldado... y la del Poeta... La de la espada victoriosa y la de la canción vagabunda... Y esta es la canción:

Franco —tuya es la hacienda...
la casa, el caballo— y *la pistola...*
Mía... es la voz antigua de la tierra... Tú te quedas con todo...
y me dejas desnudo y errante por el mundo...
Mas yo te dejo mudo... ¡mudo!...

Y ¿cómo vas a recoger el trigo y alimentar el fuego si yo me llevo la canción?

Y así, desnudo y solo con mi canción vagabunda... me ha conducido el Viento de pueblo en pueblo... Viendo paisajes, animales, gentes, ciudades... En alguna ciudad me ha excomulgado el arzobispo, me han apedreado los sacristanes... y los lebreles del tirano no me han dejado hablar. Frecuentemente me han encaramado en algún estrado como este que, además de un confesionario, a mí se me antojaba muchas veces... una picota... un patíbulo... donde me alzaba como un reo para que todos me viesen... *¡como un reo!*

También aquí estoy ahora como un reo... *como un réprobo...* como un hereje... *¡Miradme bien!* Porque yo no soy sólo el poeta de la canción vagabunda... Soy... además... *El gran ladrón del Salmo.* Quiero contar las cosas como ocurrieron. Quiero confesarlo todo... He dicho que he venido a confesarme.

La España que se llevó la canción se llevó el salmo también.

Me sucedió mucho tiempo que allá en la península, años antes de que comenzase nuestra guerra.. no encontraba, no podía encontrar nunca en las catedrales españolas *el Salmo...* el verdadero Salmo... un Salmo afilado que se pudiese clavar en el cielo, en la tierra... o en la carne del Hombre... Y siempre me preguntaba al *salir* de las iglesias, de todas las iglesias. ¿Dónde estará el Salmo?... ¿Dónde le habrán escondido los canónigos?... Durante el expolio de la guerra española lo encontré... Lo habían guardado los sacristanes en una vitrina... y allí lo retenían, como un idolillo inútil ya y sin sentido, para que lo contemplasen: la erudición eclesiástica, los poetas pedantes y domésticos... y los turistas.

Al final de la contienda... cuando todo estaba ya perdido, después de los grandes bombardeos de Marzo de 1938... en las iglesias derrumbadas, entre los ornamentos sagrados, entre los utensilios y los cubiletes de los malabaristas y mercaderes del Templo... *¡Yo me encontré el Salmo!* El salmo olvidado... lleno de orín y de polvo... *Me lo llevé...* Entonces me lo llevé... *Yo soy el gran ladrón del Salmo... ¡Miradme otra vez!...*

Y allá en Medellín, ciudad levítica, farisaica y filisteica de Colombia, por donde pasé hace ahora dos años, me sucedió que la prensa reaccionaria y clerical dijo que yo era un *rojo sacrílego* que había robado los cálices y las joyas de las iglesias españolas y que con el valor de su venta iba gritando y blasfemando por la América-Española. Entonces yo dije: no fueron las joyas materiales, propiamente lo que me robé... fue algo *mucho más sagrado,* lo que me robé fue el Salmo... El Salmo... *¡Yo soy el gran ladrón del Salmo!*

31

¡Denunciadme a Caifás, al Sumo Pontífice de la Sinagoga...! Dadle mis señas, mostradle mi cédula... mi ejecutoria de Poeta es mi cédula... Decidle... que eso que va aullando en la ráfaga negra del Viento, por todos los caminos de la Tierra... ¡es el Salmo!... Y que yo me lo llevo... que me lo llevo en mi garganta... que es la garganta rota y desesperada del Hombre... a quien han dejado sin altar y sin tabernáculo.

Pero no me lo robo... Me lo llevo... *lo rescato...* El Salmo es *del Poeta...* El Salmo es una *joya...* sí... *una joya* que les dimos *en prenda* los poetas a los sacerdotes...

¡Fue un préstamo!

Y ahora me lo llevo... *¡Yo me lo llevo!*

Cuando los falsos sacerdotes bendicen el puñal y la pólvora... y pactan con los generales y los criminales del mundo... ¿para qué quieren el Salmo?... El Poeta lo rescata... *se lo lleva...* Porque el Salmo es del Poeta... *¡Mío! ¡El Salmo es mío!...*

Y este es *el Salmo fugitivo y vagabundo:*

La vieja viga maestra que se vino abajo de pronto estaba sostenida sobre un salmo...
El salmo sostenía la cúpula...
y también el techo de la Lonja...
Y al desplomarse el Salmo... Se hundió todo el Reino.

Cuando el salmo se quiebra...
el mercader cambia las medidas...
y achica la libra y el almud... Oid:
los salmistas caminan delante del juez...
y si el Salmo se quiebra... se quiebra la Ley.

La vieja viga maestra que se vino abajo de pronto...
estaba sostenida sobre un Salmo...
El salmo sostenía la cúpula... y también la espada
y el rencor...
Y al desplomarse el Salmo... *Vino la guerra.*
Y el salmo se hizo llanto, y el llanto grito...
y el grito blasfemia.

Pero el salmo está aún de pie.
Se fue de los templos... como nosotros de la tribu
cuando se hundieron el tejado y la cúpula
y se irguieron la espada y el rencor.
Ahora es llanto y es grito... pero aún está de pie
De pie... y en marcha... Sin ritmo levítico y mecánico
sin rencor ni orgullo de elegido... Sin nación y sin casta...
y sin vestiduras eclesiásticas.

Oídle... Miradle... Viene aullando en la ráfaga negra del Viento
por todos los caminos de la Tierra.
Es esa voz loca... ronca... ciega...
acorralada en la noche del mundo,
angustiosa y suplicante... sin lámpara y sin luna...
que pregunta agarrada en agonía

a la pez de pellejo que embadurna
estrellas y senderos... umbrales y ventanas:
¡Señor... Señor...! ¿por dónde se sale?
¿Sabes tú por donde se sale?
¿Lo sabe el hombre de la fuerza?
¿Lo sabe el hombre de la ley?
¿Lo sabe el hombre de la mitra?
¿Lo sabe el filósofo inalterable y deshumanizado?
¿Lo sabe el tocador de flauta...?

Pues entonces... *dejadme llorar.*

El llanto es la piqueta que se clava en la sombra,
la piqueta que horada el murallón de asfalto
donde se estrellan la razón y la soberbia.

El ritmo... el número... el coro...
los ha engendrado el llanto...
Y ahora, aquí, el módulo es la lágrima...
y se sale por el taladro del gemido.
¡Dejadme gritar!
que ahora aquí, en el mundo de las sombras
el grito vale más que la ley...*Más que la razón.*
Más que la dialéctica...
Mi grito vale más que la espada...
Más que la sabiduría... *más que la Revelación...*
Mi grito es la llamada, en la puerta de otra *Revelación.*
Llorad... gritad todos... aullad, Poetas...
haced de vuestras flautas un lamento...
y de vuestras arpas... un *aullido.*

Gritad: No hay pan... Sí hay pan... *dónde está el pan.*
Gritad, gritad: No hay luz... Sí hay luz... dónde está la luz.
Sin negar... sin afirmar... sin preguntar
gritad sólo...
El que lo diga más alto es el que gana:
No hay Dios... Sí hay Dios... Dónde está Dios.
El que lo diga más alto es el que gana
Gritad... aullad...
Dónde está Dios... Dónde está Dios... Dónde esta Dios...

¿Dónde está Dios?

«Oh, quien me diese el saber dónde poder hallarlo». Dios está en todas partes... en el aire, en el agua y en la tierra... pero hoy nadie lo encuentra... ni el detective... ni el sabueso... ¡*Ni el Poeta!*

¡*Ni el Poeta!*... El Poeta sabe solamente dónde *no* está. Sabe por ejemplo que *no* está en Europa... Ni en Norte-América... Ni aquí en México, claro está... *¿En España?*

Cuando Franco, con su gran compañía de cardenales y banqueros... se atrevió a decir que la Guerra de España era una «Cruzada Religiosa» y que Dios estaba con ellos... todos los poetas españoles nos pusimos en guardia.

Porque fue entonces cuando en el Mundo se representó la gran bufonada teológica donde los gangsters y los clownes de la Tierra, se repartieron a Dios, como se habían repartido la ambición, la trilita y las plumas estilográficas para escribir las leyes y el decálogo del mundo venidero:

Chamberlain tenía un Dios para que le abriese el paraguas...

Churchill otro para que le encendiese el cigarro. Hitler, el suyo, para que le recortase el bigotito. El de Mussollini le pulía la cabezota pelada, aquel cráneo grotesco y brillante, como si fuese ya un mármol clásico glorificado para la Historia...

Aquí arriba, en este continente, lo *yanquis* levantaron más alto que de costumbre su viejo *slogan* inglés: *God's Country*. Pero ya sabemos quién es este Dios: una divinidad entiséptica y esterilizada que no se propaga... Una especie de *Malaria muerta*... A los mexicanos les trajo el arzobispo Martínez un Dios blando, cómodo, tolerante, con las mangas de la túnica muy modernas y muy anchas... para poder bendecirlo todo... Todo: La casa de los Nuevos ricos... la de los mismos mercaderes tramposos que sobornaron a Caifás...

Se puso de moda Dios... Y todos los espías, todos los traficantes de pólvora... todos los canallas del mundo llevaban a Dios en el bolsillo, lo mismo que un negro supersticioso o un camionero de Peralvillo lleva la pata protectora de un conejo...

Todos tenían un Dios...*Todos.*
La cobardía... y la injusticia...
el escarnio... y la ignominia...
¡El crimen!... Las babas... y la sombra...
¡La sombra!

Sólo los españoles del Éxodo y del Viento, sin tribu, sin obispo y sin espada, desterrados y malditos, no teníamos Dios.

Pero... *Dios es la Luz...* y las Tinieblas... el *pecado.* Y tal como está el mundo, en esta hora de la Historia... ¿qué fariseo se atreve a decir: la luz es mía... y vosotros sois las Tinieblas? Está escrito en el Génesis, y luego San Juan, en el 4.º Evangelio, lo volverá a repetir: La luz resplandecerá en las Tinieblas... y las tinieblas no se la apropiarán. Sin embargo, todo nos lleva a pensar que hoy las tinieblas se han apropiado de la Luz...

Nadie ve nada... ¿qué veis vosotros?

Las esquinas... todas las esquinas del mundo, están rotas por las cachavas de los ciegos.
Y nadie nos ve... Polvo es el aire, polvo de carbón apagado. Rompe ya tus señales y rasga tus banderas, marinero. ¿A quién guiña aquel faro presumido? Le tumbará el mar y quedará allí apagado como una colilla, pisoteado por el desprecio y la saliva de las olas... *¡Polvo es el aire! Polvo de carbón*

apagado... Y nadie nos llama ni nos guía... Allá en el disco apagado de la noche... ni una voz ni una estrella...

¿Qué es aquello... Sí, aquello... aquello que ondea allá lejos en Madrid sobre la torre de palacio?... Es la bandera roja y gualda de España... o es la camisa ensangrentada y purulenta del caudillo?

Yo lo pregunto, lo pregunto solamente porque yo no veo bien... ¿Véis vosotros mejor?... *Nadie ve nada...*

¡Eh! boticario, buen boticario... véndenos un poco de colirio para ungir nuestros ojos nublados y legañosos. Eh, boticario, buen boticario, véndame a mí una onza de almizcle para perfumar mi imaginación.

Dios no es de nadie... *Si no de quien lo gane...* Y la luz de quien *la pague mejor...* Todo se paga con sangre... y con el sudor de la sangre... *con llanto...* Y se gana la luz como se gana el pan.

Y yo digo ahora aquí, que nadie ha dado su sangre por Dios, por la Luz, en esta hora terrible y oscura de la Historia, con más heroismo y generosidad que el Español del Éxodo y del Viento, hace ahora 10 años.

No he venido a escandalizar a nadie, ni a disputar siquiera sobre un viejo pleito que ya damos por terminado. Yo también. Políticamente zanjado... A mí ya, como español, no me mueven ni Franco ni la República ni la dinastía borbónica ni la corona de ningún rey. Estoy aquí esta noche para defender a un español desconocido que anda por el mundo y que no es político ni guerrero ni diplomático. Es un ser invisible e invulnerable, misterioso y espiritual, múltiple y personal que se mueve en una dimensión poética donde todo ocurre de otra manera y bajo otras leyes que las ordinarias. Sin embargo, él es el que hace la Historia. Ya le conocéis. Ya os lo he presentado, sabéis cómo se llama... y ya os he contado algunas de sus hazañas. En realidad, este español del Éxodo y del Viento... es el alma poética de España.

Vino aquí en la galera de Rubén Darío.. y va hoy en la misma galera todavía... ¿Hacia dónde...? ¿Hacia la Luz...? ¿Hacia el Reino de la Poesía...? ¿Hacia qué Patria?

Le gusta decir:

Mi Patria está donde se encuentre aquel pájaro luminoso que vivió hace ya tiempo en mi heredad. Cuando yo nací, ya no le oí cantar en mi huerto. Y me fui en su busca, solo y callado por el mundo. Donde vuelva a encontrarle, encontraré mi casa porque allí estará Dios.

Un día creí que este pájaro había vuelto a España y me entré por mi huerto nativo otra vez.

Allí estaba en verdad, pero voló de nuevo. Y me quedé solo otra vez y callado en el mundo mirando a todas partes y afilando el oído. Luego empecé a gritar... *a cantar...* Y mi grito y mi verso no han sido más que una llamada otra vez...

Otra vez un señuelo para dar con este ave huidiza

que me ha de decir dónde he de plantar la primera piedra de mi patria perdida.

Este espíritu poético de España —errabundo— y sin patria; este ser invisible del Éxodo y del Viento, ya he dicho que navegó con Colón y con Cortés, vino después a América en los galeones de la Colonia y más tarde con los gachupines y los refugiados.

Antes había navegado ya por otros mares. Los marineros que encontraron a Jonás en la bodega de aquel barco que caminaba para Tarsis, porque el profeta perezoso y remolón no quería ir después a predicar a Nínive, son los mismos que se encuentran con el Jonás español, y le arrojan también, llenos de supersticiones, hasta el vientre profundo y oscuro de la ballena.

A veces es un espíritu burlesco… que cuando los canónigos aletargados, después de comer se duermen y roncan en los oficios de la Catedral… les roba el Salmo… y se va por los caminos pedregosos del mundo cantándolo a su manera.

A Franco le ha despreciado. Le ha dicho: tuya es la espada… pero la canción es mía… Y la canción, no la espada, es la que ha compuesto la Gran Historia. La Historia desnuda y sonora de España… sin números, sin nombres… y sin paños.

Este espíritu es el que ha hecho el romancero. Y el Romancero no es la Historia como fue, sino como debió de ser, o como será en una proyección alta, lejana y trascendente de los hechos.

La historia ordinaria y doméstica que hacen los generales iscariotes, los políticos ambiciosos y los revolucionarios impacientes y epilépticos, la escriben los hombres: el cronista del Rey, el historiador y el erudito.. pero la historia poética la escribe el Viento; y el Viento es el que habla por intermedio de los poetas y de los profetas, cuya voz, a su vez, es la voz comunal y tradicional de la Tierra, del pueblo que no solamente corrige la historia secular y cronológica de los escribas, sino la epopeya también... y convierte el mito en realidad.

Al Rey Don Rodrigo que vende a España por el amor de la Cava, doncella hermosísima, y que la historia no sabe qué fue de él, cuando los árabes entraron en la península, el Viento, *el espíritu del pueblo,* le salva en un romance, castigándole, es verdad, *por do más pecada había...* pero luego le abre la puerta de los cielos. Fue Don Rodrigo un rey excesivamente amoroso, vicioso del amor, pero en el Viento poético de España, en el espíritu del pueblo español, encuentran siempre misericordia estos pecados de amor, aunque se hayan pagado con un reino.

El episodio del leproso no está ni en la historia ni en el poema épico del Cid... pero como era un accidente que debía afrontar el héroe, porque el pueblo era capaz de afrontarlo también, como un signo de alta caridad cristiana, en la historia poética de España que construye el Viento, el Cid se quita el guantelete para estrechar la mano del leproso.

Lo que hace el héroe, es lo que tiene que hacer

el pueblo a quien personifica... y lo que dice el Viento por la boca del Poeta es una consigna para los que militan en el Ejército que dirige el Destino, que es el Gran Capitán de la Humanidad poética y luminosa.

El episodio de la quema de las naves por Cortés en Veracruz no es históricamente exacto, pero poéticamente es la hazaña más gloriosa del conquistador, y da un gesto cósmico y ecuménico *de gran aventura sin retorno* a toda la epopeya española en América. Luego cuando llegue el primero y el último barco de refugiados en 1940 también a las playas de Veracruz, el Viento poético será el que grite estas palabras por si alguno piensa en volverse: Hay que quemar las petacas y los baúles porque nosotros vinimos aquí empujados por la brisa poética del Destino, y *volveremos a la Patria futura,* como el hijo del espíritu, como aquel tercer hijo pródigo... después de dar la vuelta al mundo, siguiendo el camino del Sol, para entrar en la casa paterna, no por el postigo del huerto, sino por la escalera principal.

Poetas de Torreón: para vosotros que conocéis el misterioso mecanismo de la Poesía van estas palabras que siguen y con las que ya voy a terminar mi discurso... Vosotros sabéis por qué se escriben ciertos poemas a la hora de la muerte... y quien manda que los escribamos.

Yo escribí este que voy a decir, el 19 de Marzo de 1938, cuando los aviones italianos y franquistas, bendecidos por el Papa, bombardeaban Barcelona, con la simpatía y el alborozo de la gran prensa universal que gritaba desde la barrera: que mueran esas ratas... Es la fecha de la muerte de España, de la España de la sangre, que yo presencié... Y porque los grandes mercaderes de la Tierra, los políticos y los eclesiásticos, fueron cómplices criminales... está el mundo aún sin Justicia y sin Paz.

España tenía que morir... y morir como Cristo. Estaba escrito. España tenía que ser el Cristo... el Cristo colectivo. Tenía que morir como un redentor... *Dar su sangre en la península y rendir su espíritu en América.*

Esta idea era ya vieja entre nosotros. La venían acariciando algunos poetas. Don Miguel de Unamuno, allá, por el año 30, la expresa con palabras conmovedoras que siento no tener a la mano. Por el mismo tiempo, Picasso pinta un cuadro que se llama «Crucifixión», en el que España aparece crucificada, con muchas de las circunstancias que la llevaron a la muerte, unos años más tarde. Luego, en el *Guernica,* donde hay un miliciano muerto y con los brazos en cruz, vuelve sobre el mismo tema. Yo, en este poema, no hago más que recoger el hecho, decir lo que vi, dar testimonio de lo que presencié, de lo que otros, que hablaron antes, habían ya profetizado... Juan Larrea, unos años más tarde, ya en el destierro, junta los tres documentos: las palabras de Unamuno, los cuadros de Picasso y este poema que voy a decir, en un ensayo que se llama: *Luz iluminada,* donde se aclaran algunos puntos de Rendición de Espíritu.

Son documentos poéticos que invitan a la exégesis y a la meditación. Porque ni el poeta escribe sus poemas ni el pintor pinta sus cuadros por mandatos políticos ni por propagandas de partido, ni por simpatía siquiera hacia el tema patético y sagrado. El poeta y el pintor son los más sorprendidos a la postre.

También aquí, el que trabaja... *es el Viento...* y en una dimensión extrahistórica donde el hombre actual no sabe moverse todavía. Así comienzan los mitos y los *milagros...* Y así se inician los desastres y las anunciaciones... El Viento habla el primero. España venía muriendo desde hace mucho tiempo, pero su calvario lo presenciamos nosotros, los españoles del Éxodo y del Viento.

Diré *cómo* murió (aquí empiezo el poema). Un día que está escrito en el calendario de las grandes ignominias, España, antes de morir, habló de esta manera:

Mercaderes... Ingleses... hombres del Vaticano y del
[Capitolio:
Yo España... ya no soy nadie aquí.
En este mundo vuestro, yo no soy nadie. Ya lo sé.
Entre vosotros, aquí en vuestro mercado, yo no soy
[nadie ya.

Un día me robásteis el airón
y ahora me habéis escondido la espada.

Entre vosotros, aquí en vuestra asamblea, yo no soy
[nadie ya.

Yo no soy la virtud, es verdad.
Mis manos están rojas de sangre fratricida
y en mi historia hay pasajes tenebrosos.
Pero el mundo es un túnel sin estrella...
y vosotros sois sólo vendedores de sombras.

El mundo era sencillo y transparente, y ahora no
[es más que sombras...
sombras... sombras... un mercado de sombras...
una Bolsa de sombras...

Aquí... en esta gran feria de tinieblas, yo no soy la
[mañana...
pero sé —y esta es mi esencia y mi orgullo,
[mi eterno cascabel y mi penacho—...
Sé que el firmamento está lleno de Luz...
de Luz... de Luz... que es un mercado de Luz...
que es una feria de Luz...
que la Luz se cotiza con sangre...
Y lanzo esta oferta a las estrellas:
Por una gota de Luz... toda la sangre de España:
la del niño... la del hermano...
la del padre... la de la virgen...
la del criminal y la del juez... *la del Poeta,*
la del pueblo y la del Presidente.

¿De qué os asustáis?

¿Por qué hacéis esas muecas, vendedores de
[sombras?
¿Quién grita...? ¿quién protesta...? ¿quién ha dicho:
Oh, no... eso es un mal negocio?

Mercaderes... sólo existe un negocio.
Aquí... en este otro mercado... en esta otra gran Bolsa
de signos y designios estelares, por torrentes
[históricos de sangre,
sólo existe un negocio... sólo una transacción y una
[moneda: ¡*La sangre!*
A mí no me asusta la sangre que se vierte.
Hay una flor en el Mundo que sólo puede crecer
si se la riega con sangre.
La sangre del hombre está no sólo hecha para
[mover su corazón
sino para llenar los ríos de la Tierra, las venas de
[la Tierra
y mover el corazón del mundo.

Mercaderes... oíd este pregón:

El Destino del hombre está en subasta.
Miradle aquí, colgado de los cielos, aguardando una
[oferta.
¿Cuánto... mercaderes... cuánto por el destino del
[Hombre?

Silencio... Ni una voz ni un signo. Todo el mundo
[se calla.

Y España, sólo España dio un paso hacia adelante
[para decir:

Aquí estoy yo otra vez... Aquí sola... Sola y en
[cruz...
España-Cristo.
Con la lanza cainita clavada en el costado.
Sola y desnuda...
jugándose mi túnica dos soldados extraños y
[vesánicos;
sola y desamparada.
Mirad cómo se lava las manos el Pretor.
Y sola, sí, sola...
Sola sobre este yermo que ahora riega mi
[sangre...
sola sobre esta tierra española y planetaria;
sola sobre mi estepa y bajo mi agonía;
sola sobre mi calvero y mi calvario;
sola sobre mi historia de viento, de arena y de
[locura...
y sola... bajo los dioses y los astros...
levanto hasta los cielos esta oferta:
Estrellas... vosotras sois la Luz...
La Tierra... una cueva tenebrosa sin linterna...
y yo tan sólo sangre.
Sangre... sangre... sangre.
España no tiene otra moneda:
Toda la sangre de España
por una gota de Luz.

No hay España... Ya no hay más que hispanidad. Muerto Cristo después de la Crucifixión ya no hubo más que «Cristiandad». Y ahora vamos a definir la *Hispanidad...* la hispanidad poética, la hispanidad del Viento que es otra cosa que esa Hispanidad imperial que quieren resucitar los franquistas.

Hispanidad... tendrás tu reino... pero tu reino no será de este mundo... Será un reino sin espadas ni banderas, será un reino sin cetro. No se erguirá en la Tierra nunca... será un anhelo... sin raíces ni piedras.. un anhelo que vivirá en la Historia, sin historia... ¡sólo como un ejemplo!

Cuando se muera España para siempre, quedará un además en la Luz y en el aire... *un gesto...* Hispanidad será aquel gesto vencido, apasionado y loco del hidalgo manchego.

Sobre él los hombres levantarán mañana el mito quijotesco...

Y hablará de hispanidad la historia, cuando todos los españoles se hayan muerto.

Para crear la hispanidad hay que morirse porque sobra el cuerpo.

Murió el héroe y morirá su pueblo,
murió el Cristo... y morirá la tribu toda...
que el Cristo redentor será ahora un grupo entero de hombres crucificados, que al *tercer día* ha de resucitar de entre los muertos.

Hispanidad será este espíritu, este Viento que saldrá de la sangre y la tumba de España para escribir un evangelio nuevo.

España ya no es más que verbo y espíritu cristiano en el Viento... ¿os parece poco?

Dejad que siga y vogue la galera
entre la tempestad sobre la ola...
va en rumbo a una atlántida española
en donde el porvenir calla y espera.
No se apague el rencor ni el odio muera
ante el pendón que el bárbaro enarbola...
Si un día la justicia estuvo *sola*
lo sentirá la humanidad entera.
Que vogue entre las olas espumantes
y siga la galera que ya ha visto
como son las tormentas de inconstantes...
Las velas al Destino... el Viento listo.
Que va en el puente el capitán Cervantes
y... arriba flota el pabellón de Cristo.

España ha muerto... pero el español vive y vivirá. Y el gran español de mañana, de la gran hispanidad del futuro, ese que ya no tendrá patria ni fronteras geográficas, pero que su espíritu inmortal limitará al Norte con la pasión, al Este con el orgullo, al Sur con el lago de los estoicos y al occidente con una puerta inmensa que mire al mar y a un cielo de nuevas constelaciones... *Ese...* no será ya ni franquista ni republicano ni monárquico tampoco. Será un ciudadano del Reino de la Poesía, un reino de cuatro dimensiones donde la Historia la organiza el Viento... que es el aliento sagrado y amoroso de Dios.

España y el Viento

España y el Viento

Mexicanos... hombres y mujeres de España...
Amigos y poetas de Torreón. Españoles de ~~~~~~
Los que vinisteis aquí ayer... y los que apenas ora
bais de llegar — ¿adusnipnes y refugiados... Españoles del Exodo y del Viento — *

¡Español!...
No tienes patria ni tribu... ¿Tú puedes
hunde tus raíces y tus sueños en la lluvia e en el
Inca del Sol —
Y ¡cógele... ¡cógele!..
que tal vez el hombre de este tiempo--
es el hombre invisible de la luz--
del Exodo y del Viento

*No muy profundamente. Debo presentar mi tarjeta, mi cédula antes de empezar a 2 "Refugiados". Tampoco muy galuchpan'. Y voy a unas cartas dos palabras ya en su sentido histórico en la definición que le dan ya en Mejico y en un (ya hora las de de amor y simpatía ~~...~~

Viví a América hace casi 30 años. Viví en Mejico y en los E.U. la mayor parte del tiempo, antes de que comenzara la guerra de España, cuando esta guerra llegó, me voló a España, al lado de la Repu- blica porque creí que ella se defendía la justicia.

Yo no fui nunca político. Ni antes de la guerra, ni durante la guerra.. ni ahora mismo lo soy, ni para inscribirme en ninguno: Si no No digo esto para any raciborme en nadie... Si no para afirmar orgullosamente más más que soy un español de este mundo — no un español de esos de

la 3ª - España. No. Soy Español de un mundo

~~mundo España~~

histórico que está en otras dimensiones, que el mundo
republicano, franquista o monárquico - y que
yo he llamado el español de Eros y del Viento.
de este español - lejos de toda clase de política historia - voy a hablar aquí esta noche.

\# Español del eroto y del viento
No tienes patria ni tribu + mi espalda.
Si puedes
hunde tus raíces y tus ramas
en la lluvia ecuménica del sol,
Y yérguete ... ¡yérguete!
que tal vez el hombre de este tiempo
es el hombre invisible de la luz
del Eroto y del Viento.

Los españoles del Éxodo, ahora que los judíos buscan y encuentran—su—tierra—prometida... son los hijos del Viento.

Aunque el éxodo español, movido por el Viento... es muy antiguo El Viento empujó en el siglo XV las carabelas de Colón... Mas tarde —del XVI al XVIII— el mismo viento empujó las galeras de la colonia cargadas de aventureros. Luego en el siglo XIX el mismo viento empujó los vapores de la trasatlántica con las bodegas repletas de nuevos humildes de las montañas de Galicia, de Santander, de Asturias, de Vizcaya, de los Pirineos catalanes, de nuevos peninsulares que venían a probar fortuna...y a convertirse en gachupines, en estas tierras que ya no eran de los reyes de Castilla... y. hace ahora diez años, el mismo viento empujó los barcos que llegaron a Veracruz, en los refugia—

dos políticos derrotados, que Franco arrojó de España como un fruto podrido, como una semilla maldita...) /+ todos nos arraigaron!... a Colón,
a Cortés, a los conquistadores, a los aventureros...
a los gachupines... y a los refugiados...
) /+ todos nos bajo el Viento aquí...! --- ¡El Viento!

El Viento... es la Historia... el Destino..., Dios!...
¡Somos hijos del Viento! #
Y todos juntos, desde Colón hasta el mas humilde y el
último de los refugiados... constituimos ya un solo eslar-
bo, un solo grupo -- un símbolo... fuera del Tiempo y
del Espacio -- en la dimensión poética y sagrada
del Viento... Del Viento... que empuja ahora

una sola galera donde lo español esencial (limpio
ya de la escoria y el peso temporal, purificado como
a la hora misma de morir, cuando la sangre se ofrece generosamente, en holocausto redentor) queda sólo

hecho verbo y espíritu amoroso...

España... la España del~~período~~ ... es ahora esta
hoy
sinfónica y única galera, en su carga ligera y luminosa, llevada por el viento, en el mar borrascoso
e infinito de la Historia...

Rubén Darío en un instante lúcido de violencia, vió
esta galera fuera del tiempo y cargada en lo más genuino y sagrado de
la raza: en el verbo... en la palabra... en el idio-
ma... y en la sangre redentora y fecunda de Jesu-
Cristo - cuando escribió este soneto ~~inmortal~~ -

en ~~ESPAÑOL~~:

"Dejad que diga y vogue la galera
bajo la Tempestad... sobre la ola...
va con rumbo a una atlántida españula...
en donde el porvenir calla... y espera.

No se apague el rencor ni el odio muera
ante el pendón quel bárbaro enarbola.
Si un día la ~~justicia~~ estuvo sola...
lo sentirá la Humanidad entera.

Que vogue entre las aguas espumantes
y siga la galera que ya ha vista...
como son las tormentas le inconstantes
las velas del destino... el viento ciego...

que va en el puente el capitán Cervantes...
y arriba flota el pabellón de Cristo
en el Viento.

Verbo y sangre fecundo y redentora
la España — hija del Viento...

Yo también soy hijo del viento

~~Soy Hijo~~... y esclavo del Viento..., ¡Esclavo!...~

A veces me rebelo contra este destino y grito inútilmente:

¡Yo no soy nadie!— Viento..., ¡déjame dormir!...

Pero el Viento se hace entonces de tormenta... y me grita como un trueno: ¡Levántate!... Ve a Nínive, gri-

dad grande, y pregona contra ella."

No hago caso, luego por el mar, y me tumbo en el rincón
mas oscuro de la nave...

Hasta que el Viento terco que me sigue, vuelve a gritarme
otra vez: "¿Qué haces ahí dormilón...; ¡levántate!

— Yo no soy nadie — digo — un ciego que no sabe cantar...
Déjame dormir."

Pero el Viento, ese Viento de tormenta, que busca un em-

tubo de trasvase, dice junto a mí, dándome en el pie:
Aquí está... haré buena con este hueco y viejo como de
metal, ~~con este vuelto bordeado de trasvase~~... Meteré por
él mi palabra y llenaré de vino nuevo la vieja cuba
del MUNDO... ¡Levántate!
- Yo no soy nadie... ¡déjame dormir! - ~~déjate~~ otra vez.

Pero un día me arrojaron al abismo... las aguas amargas me rodearon hasta el alma... la ova se enredó
a mi cabeza... llegué hasta las raíces de los montes...
La Tierra echó sobre mí sus cerraduras para siempre.
¿Para siempre? — Quiero decir que he estado en el
fondo del mar... en el vientre oscuro de la Tierra... Quiero
decir...¡que he estado en el infierno!
De allí traigo ahora mi palabra... y no canto la des—

Fricción.— Apoyo mi lira sobre la cresta marmó-
ta de los símbolos.
Entonces dijo: Yo soy Jonás

"...¿ quién es Jonás?... Cuntaré su historia de otro modo ...
Hay profetas fatales... y falsos profetas... Pero Jonás es un profeta grotesco... Su vocación y su prestigio. Es la voz que no
acierta nunca. Él lo sabe. Por eso desconfía y se esconde.
Le han engañado muchas veces y piensa que el Viento le burla para reírse de él ... Tal vez sea un tímido. O, como ahora
se dice, un resentido destemplado... No quiere ser pregonero
de nadie; ni divino ni municipal; ni de Jehová ni del alcalde... ¡ Que pregonen otros!... Se niega a ir a Nínive a decir su profecía... y huye del Viento que le llama ... Se escapa y se mete en la bodega de un barco que zarpa para Tarsis.

Allí se echa a dormir... Lo que le gusta es dormir... Y mas que dormir, ¡morir!... Su placer mas grande sería pasar del sueño a la muerte... Después de su fracaso en Mínive, le dice tres veces al Viento: "Para mi mejor es ya morir que vi-vir"... Cuando le despiertan en la nave, y la suerte le seña-la como el verdadero causante de la tormenta, les ataja a los marineros en estas palabras enseguida: "Tomadme... y echad-me a la mar"... Le sorba la ballena. En la ballena duerme tres días. Duerme y sueña... Su oración es un sueño... Se des-pierta cuando el pez le vomita en la playa... pero se duerme en seguida otra vez... Solo nos le imaginamos timbado... Siem-pre que le habla el Viento le dice: "Levántate"... Cuando va a buscarle a su casa le encuentra acostado en un camastro. Apar-de porque el Viento le revuelca, le empuja, le aguija... Y habla

Por que se lo mandan, por que se lo apuntan...
Cuando entra, al fin Jonás en Nínive, aquella ciudad tan grande, de cuatro días de andadura para recorrer su cerro, dice sin ganas y sin maña, como cualquier desgarbado racionista:

"De aquí a cuarenta días, Nínive será derrumbada..." Y enseguida se sube a un cerro, y se trimba, para ver como se desploman las torres. Pero nada se desploma... Pasan 40 días...)

Nínive queda intacta...

Entonces se irrita Jonás... Entonces se irrita Jonás y dice:
El viento me ha engañado otra vez"... Mas no es el viento quien le engaña, sino los perversos habitantes de Nínive, los cuales no eran tan perversos, porque se arrepienten, hacen penitencia; ganan la misericordia de Jehová... y ¡no se cumplen las profecías!

Al final, Jonás se enfrenta, vanidosamente con el "Viento
y le pide cuentas a la Misericordia... Entonces el Viento, le
regala, irónicamente, una calabacera movida por un gu-

Amo implacable para derrumbar la voluntad del profeta

Yo no soy nadie...
Yo no soy más que un hueco y viejo enredado de Jonás ego, por donde, a pesar de mi voluntad,
que yo quisiera más que dormir... el Viento sopla a veces, y ajústale unas palabras

Yo no soy nadie!... un ciego que no sabe cantar... un vagabundo mi apego y mi gremio... Una mezcla extraña de
Viento y de Sonámbulo... Un poeta invisible... un poeta
grotesco... El gran elefante de la Biblia... El profeta que
no acierta jamás... Yo no he acertado nunca -

En mis poemas he dicho ~~cosas~~ cosas a los españoles
las algunas cosas dictadas por el Viento... y todos se han
reído de mí porque no acierto nunca... Num se ríquen
riendo... Num nos estamos riendo todos... Todos... Yo tam-
bien, yo también me perseguía y no porque no se cumplía
son las profecías... ¡ Dejad me reír otra vez ! ...

- Que alegría... Que alegría saber que ahora mis elegirás;
todas mis elegías... la Susignia... El payaso de las bofetadas
El Haaha... La ada Kota... no son mas que un mundo de
Trampa y de envina, un sitio equivocado de somtrar y el
litio... y que cualquiera... tu, por ejemplo... pueda decir al
acabar de leerlas... ¡ Eh, señores miumum de nuevo, que todo han sido elanzas de truglar

¡Que alegría que mi verso no ha sido creído o burla...!
broma ofensiva, una broma, serena en broma ¡person in
fort...! Que alegría verse reír ahora a todos los españoles del mundo porque me burlaron; como los antiguos que
burlaron "Jonás #;
rodearon de Nínive...¡Y no acerté nunca...!

Pero el profeta no es el que predice y adivina... Fue siempre
un instrumento de Yahvé para amonestar a su pueblo...y
profeta puede ser cualquiera... el mas simple... el mas humilde...el mas ignorante... Para la palabra de Dios, la boca
mas sencilla es, tal vez, la mas apropiada...

La voz de los profetas— recordadla — es la que tiene mas sabor
de barro...Del barro que ha hecho el árbol, el naranjo y el pino,
del barro que ha formado nuestro cuerpo también.

La voz de los profetas es el grito de la tierra ultrajada...

El grito del hombre en defensa de la justicia divina...

Y yo no soy más que un hombre... Un hombre español... El

¿dinas español.

(lo español todo eso)

Español... Tengo un juicio español, aparentemente ortodoxo, con
el que puedo caminar todavía por las calles... pero me encuen-
tro con frecuencia en el cerebro el loco y del imbécil... y entre
don Quijote y el Niño de Villegas se mueve mi pueblo apretan-
do... Español... mi orgullo mi humilde... Español... en esta
y dramática dualidad...

Ahora bien lo español es lo específico... pero no lo permanente. Hay cuenta todavía... y es necesario consignarla.
Mañana el género habrá devorado a la especie... El género... el género ...¿es la Historia... Yo pienso que de una fuerza

sorda y una vaga conciencia. Llevada por el Viento.

Poéticamente— para definirla un día, levanté entre mis
manos como Hamlet, el cráneo de Neanderthal, el craneo primero del mundo, "la espera ojea", "la calavera seca y monda de Adam," "la forma sagrada y redonda del árbol de la vida"... y dije: Esta es la Historia

La Historia desnuda y sonora del hombre:

Un cráneo... un solo cráneo... un cráneo duro...

un cráneo común y universal.—

un instrumento musical de barro montuno,

batido por la lluvia, cocido y recocido por el Sol

y rescatado por el Viento...

Una flauta sin anno — esta flauta es la de todos.—

Un caracol inmenso, duro y salado,

donde suenan la vida, el Mar... el llanto...
Y el Viento es el que sopla en este único cráneo,
viejo y sonoro... que trae la Historia..
Una Historia de su oír.
Sus números, sus nombres — y sus pasos

La Historia... la hace el Viento.—
Y la Poesía también...
El Hombre trabaja, inventa, lucha, canta... Pero el Viento
es el que organiza y selecciona las hazañas, las consig-
tan, los milagros, las canciones.—
Contra el Viento no puede nada la voluntad del Hombre.
Yo cuando el Viento ha huido a su caverna... me tumbo
a dormir. Me levanto cuando El sui llama, ululante,

y me empuja. Escribo cuando Él me lo manda,
luego es lo que escribo — en mis versos — haes Él un
revoltijo de naipes, de los que azar no se salven
mañana ... ni el As... ni la Reina ... Porque los
antólogos también escogen hace... el viento.

El Viento es un exigente espachero:
El que elige el trigo, la uva... y el verso...
El que sella el buen pan, el buen vino...y el poema eterno...
Y al fin de cuentas, mi último antólogo fidedigno...
Será Él... el Viento...
El Viento es quien se lleva a la aventura
el discurso y la canción...¡El Viento!
Mitólogos...historiadores, arqueólogos, eruditos. coleccionistas...
el que decide... es el Viento

El ha hecho esta antología. 'Esta'. Esta que recrea
aquí esta noche. Esto que voy a decir aquí ahora.
añadiendo unos nuevos versos y organizado mis versos
eliminando otros según le ley. y lo ha juntado todo de una
manera distinta a como yo lo había escrito en mis libros.

Se escribe dentro de un plan que el poeta ignora al comenzar... y que conoce solo el Viento... Y los poemas impor-
son siguen siendo borradores sin corregir ni terminar
y abiertos a cualquier luminosa elaboración. Aún
muerto el poeta que los inicia, puede otro, después, venir
a seguirlos, a modificarlos, a completarlos, a unificarlos,
a fundirlos en el Gran Poema Universal... Y tal vez sea
el mismo y único poeta el que venga. Porque acaso no
haya mas que un solo poeta en el mundo: El embudo
y el Viento... El Viento salva todo lo que deste

valorarse... lo que tiene que entrar en el Ara... lo que pue -
de servir para levantar la mansión futura... poética y luminosa del Hombre... Ciertos ladrillos de la cúpula rota,
algunas piedras de la Torre caída... El oro... ya lejos de un gangs-
Todo esto es obra del Viento. Yo le dejo hacer... Que me
traiga y que me lleve a su capricho... Ante El ~~voluntad~~
~~voluntad~~... no quiero tener voluntad... Apenas intervengo en
su designio... Me dejo embeber, sin resistencia, por este
poderoso mentor aventurero que va creando poéticamente la Historia.

Juega con mis versos... y conmigo... ¡conmigo!
El me arranca de España, hace ahora diez años... y con
mis viejas raíces, húmedas aún... y llenas de arcilla castellana - como un sonámbulo, cruzando el mar

tenebroso... me trajo sobre sus hombros hasta aquí — ¿Que creíais... que fué Franco el que nos empujó, el que huíamos a ~~este~~ este continente?

No... Fue el Viento.. Nosotros somos la España del Viento.. Por que hay la España del Viento y la España de la Tierra. La España de la Tierra se extiende allá en Europa entre el Africa y los Pir- ~~¿N¿~~ ountal neos... La España del Viento, la nuestra ~~límites~~ está bien — limita al N, con la Pasión; al E. en el orgullo.. al S, en el lago de los Estuaris; y al O: con una puerta inmensa que mira al mar y a un cielo de Nuevas constelaciones...

Por esta puerta — de verdante ~~nos~~ empujó el Viento, ~~la~~ ~~los brazos~~ la Historia — Dios — hacia los brazos abiertos de América

La Historia.. Dios... el Viento... se vale de mil sutiles fugas y artimañas para que se cumplan las profecías... y lo que está escrito en los Libros Sagrados, desde hace muchos siglos...

A veces el español se confina voluntariamente, en su terruño... se apoltrona... y sólo le gusta tomar el Sol en el atrio de la iglesia de su pueblo... El español se ha hecho hogareño y doméstico... Aquel hijo de los conquistadores y de los misioneros, vivía ya sólo, como un maniático en su casona solariega, convirtiéndose un puñado de bellotas... Creía que ya no tenía nada que hacer en el mundo... Y apenas se asomaba a la ventana. Un día el Viento se levantó, malhumorado y sacudió el polvo de la tierra... El español, no entendió aquel signo.

Entonces, el Viento se hizo mas fuerte... y lo revolvió todo...

A esto lo llamamos la Revolución... La Guerra...

Pero no fué mas que una trapisuela del Viento.

Al final, después de 'mil episodios y disputas... El Viento
se hizo vendaval y borrasca... y empujó a unos españoles, a ciertos españoles elegidos... hacia la gran puerta
que mira al mar y a las estrellas... Por allí salimos

Por allí salieron ~los refugiados con los últimos~ españoles del Éxodo y del Llanto...

Por allí salí yo.

Entonces Franco dijo: He limpiado la nación... He amo-
jado de la Patria, la carroña y la cizaña...

Pero el Viento... la Historia... Dios... habló de esta manera:

He salvado la semilla mejor... Y aquí nos trajo

¿Qué esperais...?

→ ✳ También Cortés creía que había vencido aquí, pero
ganar unos dineros y pagar unas deudas el fraga que
había dejado en Cuba entre los soldados de Velázquez.
Pero luego cuando pisa esta tierra nueva a lo nuevo y
se el Reino maravilloso de Moctezuma, se da cuenta
de que le envía Dios... y el viento — y cuando bajo otra vez a ve.
traeros y mandó quemar las naves.... De aquí no
se va ya nadie — Todo fue uno trágicamente
                    Rel Valiente

el fondo de una tensión... o para amasar una fortuna?

No. os trajo Dios... el Viento, como a nosotros para destruir

mas alto. ✳ → ⟶ Ni a vosotros te trajo aquí el deseo de lucro

Ni a vosotros ~~te trajo~~ ¿aquí la deserción o la ambición...

así nuestro Franco... Franco no fué mas que un pretexto, el

personaje necesario para la Tragedia, el Judas fatal que

había de nacer para que se cumplieran las Escrituras. No

quien tenía que vender al Cristo. ¿ No sabeis que el Pueblo

Español es el Cristo colectivo? Luego explicaré esto.

Franco no es nadie. Un fantasma llegó. ¿ el Viento es el

que trabaja, el que organiza y define el triunfo final de

la batalla... ¡El Viento! El Viento hace la Historia,

¿Es esto hablar de política? No. Esto no es política, esto

es Poesía.

✳ Y ese mismo Viento que me trajo hasta México, es el que he

de ahora tres años me llevó, en un lento peregrinaje por

todo hispano-américa, contando

la misma canción

esta ~~canción~~ canción que vengo a escribir aquí esta noche.
No hay rincón de esta tierra - americana donde no
me haya conducido - Primero me llevó por todo Centro-
América. Después me cruzó el Tolima -- Y en su gran pico
de águila me subió hasta lo más eminente de los Andes
Venezolanos y de la cordillera Boliviana. --
Me depositó en ciudades de aventuras legendarias, de
luces deslumbrantes --

De gente poliformas y heterogéneas...
Me llevó lo cauces gigantescos de los ríos.

lagos, como piélagos,
bosques inmensos...
pampas desoladas...
Los largos calveros extraños de la serranía...
las tierras heladas de la Patagonia...
Y el mapa, en fin, monstruoso de américa... donde
las fronteras de los pueblos parecen trazadas por un
cerebro loco, injusto y perverso.

Ahora, cuando yo creía que iba a deshacerme en
la tempestad, en el trueno y en la nube, me ha
vuelto a México otra vez...

Aquí estoy de nuevo, fiel a tu mandato y a su dicta-
dura inmisericorde... que me obliga a ir por el
mundo cantando una amarga, vieja y monótona
canción española... para eso me lleva y me trae.

¡Ah! en la ciudad, en el barullo babélico de la ciudad, he vivido unos meses tan alegría... México, la gran metrópoli, se ha vestido, durante mi ausencia, de no sé qué ropajes extraños que yo no conocía. Creo que a mí no me ha conocido nadie tampoco... He estado allí como el mascarón roto e inútil de un barco varado.

Hasta que al fin me sentí con la fiebre ansiosa de escaparme otra vez. Huí de nuevo. Una mañana me dije: Me iré hacia el Norte, a una ciudad lejana, donde nadie sepa quién soy y donde pueda sentarme en un banco cualquiera de la plaza a ver pasar la gente y a ver morir los días... Y en huida y fui rumbo erré unas cuantas ciudades hasta llegar aquí. Me gustó este paisaje ártico y desolado y ardiente que

se parece a los campos austeros e inclementes de
la Castilla donde yo nací. Esta es mi tierra grité
y decidí quedarme entre estas dos ciudades de Ena.
Huila y de Durango deposaban por un río lírico y humilde con viñas que huertas en las márgenes.
... Pero una mañana en un café me encontré
en mi viejo amigo Casan... y todo se me complicó
otra vez. Me llevó a su librería, me presentó a
escritores, pintores y poetas... y entre todos me
han traído aquí esta noche ¿ Saben todos? ... El viento
viento tieso y estúpido que me empujó y me lleva donde a
él se le antoja sin contar conmigo para nada. Si el
viento es el que me ha traído por está aún y me traerá
grito a esta tribuna, donde, desde luego, no hay ninguna.

na silla para mí.

Esta silla no es la mía

Yo no tengo silla. #

Tengo miedo a todas las sillas doctorales,
a todos los juiquitos lingüísticos
y a todas las Tribunas lunagógicas...
Creo que el Vicedo no me ha traído hasta aquí

para disfrutar le ~~su sitio~~
ni el líder,
ni el párroco
ni el profesor...

Yo no soy el profesor.

Repito que No vengo a enseñar nada... #
Ni a repartir catecismos... ni enseñar...
No vengo a conspirar tampoco...
Ni a ganar prosélitos para una nueva causa...
Ni a lanzar vítores o protestas debajo del balcón del
Presidente municipal
Y no me envía nadie: Ni el demócrata... ni el Tirano
ni el fariseo ni el Kremlin
No pertenezco a ninguna cofradía...
y no soy súbdito de ninguna nación.

No tengo ni silla... mi casa... ni patria... mi Templo... ¡Me lo han robado todo!... Y me he quedado desnudo... ¡Desnudo!... Solo con mi canción... Con mi canción en el Viento... Soy un Español del lado de la canción en el Viento... que hay dos Españas ~~que podemos llamar también~~... la del Soldado... y la del Poeta... La de la espada ~~victoriosa~~ y la de la canción vagabunda... ~~Casi~~ ~~~~ Y esta es la canción el poeta vagabundo gusta ~~Casi que me gusta cantar...~~

Frauca... tuya es la hacienda... la casa el caballo y la pistola—

Mía... es la voz antigua de la tierra... Tú te quedas con todo... y me dejas desnudo y errante por el mundo.—

Mas yo te dejo mudo... ¡mudo!..

Y ¿cómo vas a recoger el trigo y alimentar el fuego

Si yo me llevo la canción?

Y así, desnudo y solo con mi canción vagabunda... me ha
conducido el Viento de pueblo en pueblo.-- Viendo paisajes,
animales -- gente -- ciudades - (En alguna ciudad me
ha excomulgado el arzobispo, me han apedreado los sacristanes...y los lobreles del toreno no me han dejado hablar)
Frecuentemente... me he encaramado en algún estrado como esté que (además de un confesionario) a mí
se me antojaba muchas veces -- una piesta...
un patíbulo -- donde me alzaba como un reo
para que todos me viesen -- ¡como un reo!
También aquí estoy ahora como un reo... como un
réprobo -- como un hereje...¡Miradme bien!

Porque yo no soy sólo el poeta de la canción vaga -
Gimada -- Soy.. además.. El Gran ladrón del Salmo

(Quiero entrar las cosas como ocurrieron. Quiero confesarlo todo... He dicho que he venido a confesarme.

La España que se llevó la canción se llevó el salmo también.
~~Porque sucedió~~ # Que sucedió mucho tiempo - qué allá en la
península, años antes de que empezase nuestra guerra,..
~~Aun~~ no encontraba, ~~no~~ no podía encontrar nunca en
las catedrales españolas el salmo... el verdadero salmo...
un salmo afilado que se pudiese elevar en el cielo, en
la tierra... o en la carne del hombre... Y siempre me
preguntaba al salir de las iglesias, de todas las iglesias
¿Dónde estará el salmo?.... ¿Dónde lo habrán escondido

los canónigos?... Durante el 2/Julio de la guerra españo-
los lo encontré.... Lo habían guardado los sacristanes
en una vitrina... y allí lo retenían, como un ídolillo
inútil ya y sin sentido, para que lo contemplaren: la
erudición eclesiástica, los poetas pedantes y domésticos...

y los turistas.

Al final de la contienda... cuando todo estaba ya perdido, después de los grandes bombardeos de Marzo de 1938.—
En las iglesias derrumbadas, entre los ornamentos sagrados, entre los utensilios y los cubiletes de los malabaris-
ristas y mercaderes del Templo...; ¡Yo me encontré el Salmo!
El salmo bordado... lleno de oro y de polvo.. Me lo
llevé... Entonces me lo llevé.. Yo soy el gran ladrón del Salmo..; ¡Miradme otra vez!#...—Y allá en Medellín, ~~me~~ ~~~~

en Medellín

Cuidad Levítica farisaica y filistea de Colonia, por
donde pase hace ahora dos años, que la prensa neoco-
naria y clerical dijo que yo era un rojo sacrílego
que había robado los cálices y las joyas de las iglesias españolas y que era el valor de su venta iba pri-
tando y (blasfemando) por la América Española

Entonces yo dije no fueron las joyas materiales, por...
mente lo que me robé... fue algo mucho más sagrado
(señores conmigo?) lo que me robé fue el salmo... El
Salmo... ¡Yo soy el Gran Ladrón del Salmo!
¡Denunciadme ... gracias al Sumo Pontífice...
Dadla mis señas, mostradle mi cédula... Mi ejecutoria
de Poeta es mi cédula... Decidle... que eso que va au-

Cuando en la ráfaga negra del Viento, por todos los caminos de la Tierra... es el Salmo!... Y que yo ni lo llevo... que me lo llevo en mi garganta... que es la garganta rota y desesperada del Hombre... a quién se
han dejado sin altar y sin Tabernáculo.

Pero no me lo roba... Me lo llevo~ lo rescató...
El Salmo es ~~del~~ del Poeta~ El Salmo es una
joya... Sí... una joya! que los dioses en prenda los
prestan a los sacerditos...
¡Fué un prestamo!

Y ahora me lo llevo... ¡Yo me lo llevo!
Cuando los cantidigos sagrados los obispos bendicen el
himno y la pólvora... ¡rectan con el esfuerzo arroba
muriula del viuda~ ... ¿para que quieren el salmo?... El Poeta

lo rescata... se lo lleva... Porque el Salmo es su Poeta...

¡Mío! ¡El Salmo es mío! ....

Claro que el emo... hay los esclavos... hay los Salmos también
El que nos esclaviza... el extranjero... los esclavos... en esclavizar en prostituir de
los esclavos... y el que... Vejando el extant fugitivo
y vejativos... por su condición redimirse en la Diáspora

Este es el Salmo fugitivo y vagabundo

La vieja viga maestra que se vino abajo le permito
estaba sostenida sobre un salmo...
El salmo sostenía la cúpula...
y también el techo de la lonja...
y al desplomarse el salmo... Se hundió todo el Reino
Cuando el salmo se quiebra...

el mercader cambia las medidas...
y achica la libra y el almud... Oíd:
Los salmistas caminan delante del juez
y si el salmo se quiebra... se quiebra la ley.

La vieja viga maestra que se vino abajo de pronto...
estaba sostenida sobre un salmo...
El salmo sostenía la cúpula... y también la espada y el rencor...

y al desplomarse el salmo... Vino la guerra.
y el salmo se hizo llanto... y el llanto grito...
y el grito blasfemia.

Pero el salmo está aún de pie.
Se fué de los templos... vino nosotros a la tribu
cuando se hundieron el tejado y la cúpula
y se irguieron la espada y el rencor.

Ahora es llanto y es grito... pero aún está de pie
De pie... y en marcha... Su ritmo levítico y mecánico
Sin revés mi orgullo de elegido... Sin nación y sin casta...
y sin vestiduras eclesiásticas.

Óichle... Miradle... Viene aullando en la ráfaga
Negra del viento
por todos los caminos de la Tierra.
Es esa voz loca... ronca... ciega...
acorralada en la noche del mundo,

Angustiosa y suplicante... Sin lámpara y sin luna...
que pregunta agarrada en agonía
a la faz de pellejo que embadurna
estrellas y senderos... umbrales y ventanas:

¡Señor... Señor!... ¿ por dónde se sale?
¿ Sabes tú por dónde se sale?
¿ Lo sabe el hombre de la fuerza?
¿ Lo sabe el hombre de la ley?
¿ Lo sabe el hombre de la mitra?
¿ La sabe el filósofo inalterable y deshumanizado?
¿ Lo sabe el tocador de flauta?... #
Pues entonces... dejadme llorar.

El llanto es la piqueta que se clava en la sombra,
la piqueta que horada el murallón de asfalto
donde se estrellan la razón y la soberbia.

El ritmo... el número... y el eco...
los ha engendrado el llanto...
Y ahora, aquí, el milagro es la lágrima...

y se sale por el taladro del gemido .

¡Dejadme gritar !

) que ahora aquí, en el mundo de las sombras
el grito vale más que la ley ... Más que la razón
Más que la dialéctica ..

Mi grito vale más que la espada ...
Más que la sabiduría .. más que la Revelación!
Mi grito es la llamada, en la puerta de otra Revelación

Llorad ... gritad todos ... aullad Poetas ...
haced de vuestras flautas un lamento ..
y de vuestras arpas ... un aullido

Gritad: No hay pan .. Si hay pan ... dónde está el pan .
Gritad, gritad: No hay luz... Si hay luz.. dónde está la luz .

Sin negar... ni afirmar... Sin preguntar.
gritad solo...

El que lo diga más alto es el que gana
No hay Diós- Si hay Diós.- Dónde está Dios.
El que lo diga más alto es el que gana
Gritad -- callad ...
Dónde está Dios ... Dónde está Dios.. Dónde está Dios..

Dónde está Dios.

Dios que lo sabe todo es tan ingenuo
Y ahora está secuestrado por unos arzobispos bandoleros
que le hacen leer desde la "Radio" "Hallo- Hallo.- estoy
aquí con ellos-"
Mas no quiere decir que está a su lado---- sino que está"

¿ Dónde está Dios?...

" Oh, quien me diese el sabor dónde poder hallarlo. "

Dios está en todas partes... en el aire, en el agua y en la tierra...

pero hoy nadie lo encuentra...
ni el detective... ni el sabueso... ¡Ni el Poeta!

¡Ni el Poeta!... El Poeta sabe solamente dónde NO está
sabe por ejemplo que no está en Europa... Ni en Norte -
América... Ni aquí en México, claro está... ¿En España?

Cuando Franco, ~~acompañado~~ y flanqueado, con su gran compañía de Cardenales y banqueros... se atrevió a decir
que la Guerra de España ~~iban~~ era una "Cruzada Religiosa"
y que Dios estaba con ellos... Todos los poetas españoles nos pusimos en guardia — ~~Entonces~~...

entonces fué cuando nos cogió aquella risa irreverente y
aquellos ~~ganas incontenibles de~~ blasfemar.
Porque fué entonces cuando el mundo e importante
Los ~~[?]~~ y austeros y los clowns de la ~~[?]~~, se repartieron a Dios, como se habían repartido la ambición,
la tolta y las plumas estilográficas para escribir las
leyes y el decálogo del mundo venidero; ~~[tachado]~~
Chamberlain tenía un Dios para que abriese el para-

guas...
Churchill otro para que le encendiere el cigarro.-
Hitler, el suyo, para que le recortase el bigotito
El de Mussolini le pulía la cabeza pelada, aquel
craneo grotesco y brillante, como si fuese ya un mar-
mol clásico glorificado para la Historia...

.. A Franco, el suyo le está limpiando las botas, todavía
en los rezos y la bula del Sumo Pontífice... Aquí arriba, en este continente, los yanquis levantaron mas alto que de costumbre su viejo slogan inglés: God's Country
Pero ya sabemos quién es este Dios: Una divinidad
antiséptica y esterilizada que no se propaga... Una especie de Materia muerta... [A los Mexicanos los trajo
el arzobispo Martinez un Dios blando, cómodo, tolerante, en
las mangas de la túnica muy modernas y muy anchas... para
poder bendecirlo todo... Todo: (La casa de los Nuevos ricos... la
(de los mismos mercaderes tramposos que sobornaron a Cristo
todos los políticos desvergonzados... la de los cinco vamos muerte
lones......Un Dios que le abre las puertas del cielo a todos los que
se ofrecen en el Partido Católico, cumpla o no en el Decálogo, siem
que pague las cuotas NECESARIAS... -

Se puso de moda Dios... Y todos los espías, todos los traficantes de pólvora... todos los canallas del Mundo lleva-
van a Dios en el bolsillo, lo mismo que un negro supersticioso o un cancionero. Lleva la pata protectora.

de un conejo --

— Todos tenían un Dios... Todos:
La cobardía... y la Injusticia.
el escarnio -- y la ignominia...
¡El Crimen! ... Las babas ... y la Sombra ...
¡La Sombra!

¡Sólo los republicanos españoles, no tenían Dios...
Dios estaba en la sombra -- Era la Sombra
Los obispos buhoneros de España fueron los primeros que
bendijeron la sombra -- Desde aquel documento foto-

Sobre los españoles del Éxodo y del Viento, un tribu, un obispo
y una espada, desterrados y malditos, no teníamos Dios.

* ¡Pero... Dios es la Luz... y las Tinieblas... el pecado... que tarro
Y tal como está el mundo, en esta hora de la Historia... ¿que tampoco
te atreve a decir: La Luz es mía... y nosotros dos las Tinieblas?
Está escrito en el Génesis, y luego San Juan, en el 4º eran
felices, lo volverá a repetir: La Luz resplandecerá en las Tinieblas... y las Tinieblas no se la apropiaron
Sin embargo, todo nos lleva a pensar que hoy, las Tinieblas se
han apropiado de la Luz...

* Nadie se vende... ¿ y que vais vosotros?
Las esquinas... todas las esquinas del Mundo, están rotas por las
cacharros de los ciegos
Y nadie nos ve... Polvo es el aire, polvo de sombra apagada
Aunque ya tus señales y rasga tus banderas, marinero.

¿A quién guiña aquel faro presumido? Le tumbará el
mar y quedará allí apagado como una colilla, pisoteado por el desprecio y la saliva de las olas... ¡Polvo es el aire!
Polvo de carbón apagado... Y nadie nos llama ni nos
guía... Allá en el disco apagado de la noche... ni
una voz ni una estrella..

allá lejos
en Madrid

¿Qué es aquello... Sí, aquello... aquello que ondea ⌐
sobre la torre de palacio?.. Es la bandera roja y gualda
de España... o es la camisa ensangrentada y purulenta
del caudillo?

solamente
Yo lo pregunto, lo pregunto ~~insensata~~, porque yo no veo
bien... ¿Veis vosotros mejor?.. Nadie ve nada -
¡Eh! boticario, tres boticarios.. vendemos un puño de
NUBLADOS ~~■■■~~ y ~~■■■~~

~~■■■■■■~~ ungir nuestros ojos ~~■■■■■~~ y legañosos.
~~■■■■■■■■■■■■■■■■■■■■■~~

la maldición... llena... de hombres...

esclavo del silencio... Oh, bítano, buen bítano, véndeme a mí una
onza de almizcle para perfumar mi imaginación

Dios no es de nadie... Sino de quien lo gane... Y la luz

de quien la pague mejor... por la casa paga con sangre

con sangre... Se paga la luz con sangre...

Todo se haga con sangre... y con el sudor de la sangre... en llanto... Y se gana la luz como se gana el pan

Y yo digo ahora aquí, que nadie ha dado su sangre por

Dios, por la luz, en esta hora terrible y oscura de la historia, con más heroísmo y generosidad que el Español

del Éxodo y del Viento, hace ahora 10 años

No he venido a escandalizar a na-
die ni a disputar siquiera sobre un viejo pleito que
ya por terminado. Yo también. Política

mente zanjado... A mí ya, como español, no me mueven ni Franco ni la República ni la dinastía borbónica
ni la corona de ningún rey. Estoy aquí esta noche
para defender a un español desconocido que anda
por el mundo y que no es político ni guerrero ni diplomático. Es un ser invisible e invulnerable, misterioso y espiritual, múltiple y personal que se mueve
en una dimensión poética donde todo ocurre de otra
manera y bajo otras leyes que las ordinarias. Sin embargo, él es el que hace la Historia. Ya le conocéis. Ya me lo
he presentado, sabéis como se llama... ya os he contado
algunas de sus hazañas. En realidad, este español del Éxodo y del Viento ~~protagonista~~ es el
alma poética de España
Vino aquí en la galera de Rubén Darío... y va hoy en la misma galera todavía... ¿Hacia dónde...? Hacia la Luz —

¡Hacia el Reino de la Poesía?... ¡Hacia que Patria?.
¿Le gusta decir:

Mi Patria esta donde se encuentre aquel pájaro lu-
minoso que vivió hace ya tiempo en mi heredad.
Cuando yo nací, ya no le oí cantar en mi huerto.
Y me fui en tu busca, solo y callado por el mundo.
Donde vuelva a encontrarte, encontraré mi casa
porque allí estará Dios:
Un día creo que este pájaro habrá vuelto a España
y que entre por mi huerto nativo otra vez.
Allí estaba en verdad, pero voló de nuevo.
Y me quedé solo otra vez y callado en el mundo
mirando a todas partes y afilando el cielo.
Luego empecé a gritar... a cantar —

Y mi grito y mi verso no han sido más que una llamada otra vez. —

Otra vez un revuelo para dar en este aire huidiza que me ha de llevar donde he de plantar la primera piedra de mi patria perdida. —

Este espíritu poético de España —errabundo— del Diablo y —y sin patria; este ser invisible del viento, ya he dicho que navego en Colón y en Cortés, mas después, en los galeones de la Colonia a América y un torbellino en los gachupines y los refugiados —

#/más/ habría navegado ya por otros mares. Los hombres que encontraron a Jonás en la bodega de aquel barco que caminaba para Tarsis, porque el profeta por ir gozo y revuelto no quería a predicar a Nínive, son los mismos que se encuentran en este del Jonás español —

y le arrojan tomtren, lleno de supersticiones hasta
el vientre profundo y oscuro de la ballena. -

A veces en un espíritu burlesco... que cuando los
comulgas atelangados, después de comer se duermen en los oficios de la catedral... les roba el
... en los caminos /pedregosos del mundo

salino... y se va por los caminos /pedregosos del mundo
cantándole a su manera

A Franco le ha despreciado. le ha dicho: tuya es la
espada... pero la canción es mía... y la canción no
la enhebra es la que ha empuesto la gran Historia
La Historia, desnuda y señora del España... sus números, sus nombres... y su país

Este espíritu es el que ha hecho el romancero.
y el Romancero no es la Historia como fué, sino como debió de ser, o como será en una proyección alta,

lejana y trascendente de los hechos

La historia ordinaria y doméstica que hacen los generales insensatos, los políticos ambiciosos y los revolucionarios impacientes y epilépticos, la escriben los hombres: el erudito del Rey, el historiador y el erudito... pero la historia poética la escribe el Viento; y el Viento es el que habla por intermedio de los poetas y de los profetas, cuya voz, a su vez, es la voz comunal y tradicional de la Tierra, del pueblo que no solamente te corrige la historia trueban y cronológica de los escribas, sino la epopeya también... y convierte el Mito en realidad.

Al Rey Don Rodrigo que vende a España por el amor de la Cava, doncella hermosísima, y que la historia no sabe qué fué de él, cuando los árabes entraron en la Península, el Viento, el espíritu del pueblo, le salva en un romance, castigándole, es verdad, por lo mal pecado había... pero luego le abre la puerta de los cielos. Fué Don Rodrigo un rey excesivamente amoroso y reo yo del amor; pero en el Viento poético de España, en el es- píritu del pueblo español, encuentran siempre miseri- cordia estos pecados de amor, aunque se hayan pagado en un reino.

El episodio del leproso no está ni en la historia ni en el poema épico del Cid... pero como era un accidente que debía afrontar el héroe, porque el pueblo era capaz de afrontarlo también, como un signo de alta caridad cristiana en su historia poética de España que constituye el Viento, el Cid se quita el guantelete para estrechar la mano del leproso.

(vuelta)

Lo que hace el héroe, es lo que tiene que hacer
el pueblo a quien personifica... y lo que dice
el Viento por la boca del Poeta, es una voz
digna para los que militan en el ejército
que dirige el Destino que es el Gran espi-
tu de la Humanidad política y Cummota

~~La música del Espíritu~~

El Episodio de la quema de las naves por Cortés en Veracruz no es históricamente cierto, pero prácticamente
es la hazaña más gloriosa del conquistador, y la
un gesto cósmico y ecuménico de gran aventura
sin retorno a toda la epopeya española en América.
Luego cuando llegue el prólogo del último barco de refugio
do en 1940 ~~Veracruz~~, el viento hoy...
tico será el que grite estas palabras por ti alguno piensa en volverse: Hay que quemar las petacas y los baúles porque nuestro vivimos aquí em-
pujado por la brisa poética del Destino, volveremos
a la patria futura, como el hijo del espíritu, como
aquel tercer hijo pródigo... después de dar la vuelta al mundo, siguiendo el camino del sol, para

entrar en la casa paterna, no por el pórtigo del muerto, sino por la ~~escalera~~ principal.

Poetas de Torreón: para vosotros que conocéis el misterioso mecanismo de la Poesía van estas palabras. Creo que siguen y con las que yo voy a terminar mi discurso... # Vosotros sabéis por qué se escriben ciertos poemas a la hora de la muerte... y quién manda que los escribamos.

Yo escribí este que voy a decir, el 19 de Marzo de 1938 cuando los aviones italianos y franquistas, bendecidos por el pa. ha. bombardeaban Barcelona, en la simpatía y el albo rozo de la gran prensa universal que gritaba desde la barrera: que murieran esas ratas... Es la fecha de la muerte de España, de la España de la sangre, que yo por-

nacié... Y porque los grandes mercaderes de la Tierra, los políticos y los eclesiásticos, fueron cómplices
criminales... está el mundo aún sin Justicia y sin Paz.
España tenía que morir... y morir como Cristo. Estaba escrito
España tenía que ser el Cristo... el Cristo colectivo. Tenía que
morir como un redentor... Dar su sangre en la península

y rendir su espíritu en América.

Esta idea era ya vieja entre nosotros. La venían decoriciau
de algunos poetas. Don Miguel de Unamuno, allá, por el
año 30 la expresa en palabras conmovedoras que viento no tener a la mano. Por el mismo tiempo, Picasso pinta un cuadro que se llama "Crucefixión", en el que España
aparece, crucificada, con muchas de las circunstancias que
la llevarón a la muerte, unos años mas tarde. Luego
en el Guernica, donde hay un miliciano muerto y

con los brazos en cruz, vuelve sobre el mismo tema,
Yo, en este poema, no hago mas que recoger el hecho,
decir lo que vi, dar testimonio de lo que presencié,
de lo que otros, que hablaron antes, habían ya profetizado... Juan Larrea, unos años mas tarde, ya en
el destierro, junta los tres documentos: los palabras de Unamuno, los cuadros de Picasso y este poema que voy a leer, en un ensayo que el llama:
Luz iluminada, donde se elaboran algunos puntos
de Rendición de Espíritu.
Son documentos poéticos que invitan a la exege-
sis y a la meditación. Porque ni el poeta escribe sus
poemas ni el pintor pinta sus cuadros por mandatos poli-

tico ni por propagandas de partido ni por disputa
siquiera hacia el Tema patético y sagrado. El poeta
y el pintor son los mas sorprendidos a la postre...
También el que trabaja — aquí — es el Viento... y en una
dimensión extrahistórica donde el hombre actual
no sabe moverse todavía. Así comienzan los niños
y los milagros... Y así se inician los desastres y las
anunciaciones — El Viento habla el primero.
España venía muriendo desde hace mucho tiempo,
pero su calvario, lo presenciamos nosotros, los españoles del Cristo y del Viento ~~por aquellos años en la~~
última guerra y ahora ya vamos en la cabeza
de Bilbao ~~Bilbao~~ —

Diré cómo murió   (aquí empieza el poema)

Un día que esta escrito en el calendario de las grandes ignominias, España antes de morir, habló de esta manera;

Mercaderes... Ingleses... hombres del Vaticano y del Capitolio
Yo España... ya no soy nadie aquí.
En este mundo vuestro, yo no soy nadie. Ya lo sé.
Entre vosotros, aquí en vuestro mercado, yo no soy nadie ya.
Un día me robasteis el aire.
Y ahora me habéis escondido la espalda.
Sobre vosotros, aquí en vuestra asamblea, yo no soy nadie ya.
Yo no soy la virtud, es verdad.
Mis manos están rojas de sangre fratricida
y en mi historia hay parajes tenebrosos.
Pero el mundo es tu túnel sin estrella...
Y vosotros sois esto, vendedores de sombras.

El mundo era sencillo y transparente y ahora no es mas que sombras
sombras... sombras... Un mercado de sombras.--
una Bolsa de sombras...

¡Aquí... en esta gran feria de tinieblas, yo no soy la mañana..
pero sí; y ella es mi creencia y mi orgullo, mi eterno cerca -
bel y mi pecado ---
Sé que el firmamento está lleno de luz --
de luz -- de luz -- que es un mercado de luz --
que es una feria de luz...
que la luz te entiza en sangre --
y cruzo esta abierta a las estrellas;
Por una gota de luz.-- Toda la sangre de España:
la del niño.-- la del hermano...
la del padre... la de la virgen... la del Poeta
la del criminal y la del juez;...
la del pueblo y la del Presidente.

¿De qué os asustais?

¿Por qué haceis esas muecas, vendedores de sombras?

¿Quién grita... ¿quién protesta?... ¿Quién ha dicho:

oh, no... eso es un mal negocio. #

Mercaderes -- solo existe un negocio.

Aquí... en ésta otro mercado... en ésta otra gran Bolsa

de siglos y desequilibrios estelares, por torrentes históricos de sangre,

sólo existe un negocio... sólo una Transacción y una moneda:

¡la sangre!

A mí no me asusta la sangre que se vierte.

Hay una flor en el Mundo, que sólo puede crecer

si se la riega con sangre.

La sangre del hombre está un solo hecha para mover su corazón

sino para llenar los ríos de la Tierra, las venas de la Tierra

y mover el corazón del mundo.

Mercaderes -- oíd este pregón:

El Destino del hombre está en subasta.

Miradle aquí colgado de los cielos, aguardando una oferta.

¿Cuánto...? mercaderes— cuánto por el destino del Hombre?

2

\# Silencio— Oí una voz, ni un signo. Todo el mundo se calla.

Y España, toda España dio un paso hacia delante para decir:

\# Aquí estoy yo otra vez.. Aquí toda— Sola y en cruz..

España-Cristo-

con la lanza cainita clavada en el costado.

Sola y desnuda—

Jugándose mi túnica dos soldados extraños y verdugos;

Sola y desamparada.

Miradl como se lava las manos el Profeta;

Y Sola, sí, sola—

Sola sobre este yermo que ahora riega mil sangre—

sola sobre esta tierra española y planetaria;
sola sobre mi estepa y bajo mi agonía;
sola sobre mi calvario y mi calvario;
sola sobre mi historia, de viento, de arena y de brasa...

Y sola... bajo los Dioses y los astros...
Levanto hasta los cielos esta oferta:

Estrellas... vosotras sois la luz...
La tierra... una cueva tenebrosa sin linterna...

Y yo tan solo sangre.
¡Sangre... sangre... sangre!... Sangre.
España no tiene otra moneda:
Toda la sangre de España
por una gota de luz).
—

No hay España... Ya no hay más que humanidad. Muerto
Cristo después de la crucifixión ya no hubo más que 'cristianos'

Y ahora vamos a definir la Humanidad.. la hispanidad poética, la Humanidad del Viento que es otra
cosa que esa Humanidad imperial que quieren revivir los
franquistas
Hispanidad... tendrás tu reino...
pero tu reino no será de este mundo... Será un reino sin espadas ni banderas, será un reino sin cetro.
No se erguirá en la Tierra nunca... será un anhelo..
sin raíces ni piedras... un anhelo
que vivirá en la Historia, un historia...¡Solo como
un ejemplo!
Cuando se muera España para siempre, quedará
un ademán en la Luz y en el aire... un gesto...
Hispanidad será aquel gesto vencido, apasionado
y loco del hidalgo manchego.
Sobre él los hombres levantarán mañana, el mito

Quijotesco...

y hablará de hispanidad la historia, cuando todos

(los españoles se hayan muerto.

Para crear la hispanidad hay que morirse, porque

sobra el cuerpo.

Murió el héroe, y morirá su pueblo,

Murió el Cristo... y morirá la tribu toda

que el Cristo redentor será ahora un grupo entero

de hombres crucificado, que al _tercer día_ ha de

resucitar de entre los muertos.

Hispanidad será este espíritu, este viento

que saldrá de la sangre y la tumba de España

y para escribir un evangelio _nuevo_

\# España ya no es más que voto y espíritu cristiano

en el viento.. ¿ os parece poco?

Dejad que rujan y rompan las palmas
entre la tempestad rotas las alas --
va en nuevo a una estantida esparcir
en donde el porvenir ella y espera

No se apague el rencor ni el odio muera
ante el perdón que el bárbaro quantaba
Sí un día la justicia estará en la
La pentará la humanidad entera.

Que rujan entre las olas espumantes
y rija la galera que ya ha visto
tanto son los tormentos de incontantes
Las velas al Destino -- el Viento listo

Suena en el puente el capitán cercanos
y... arriba flota el pabellón de Cristo

España ha muerto.. pero el espíritu vive y vivirá
Y el gran empuje de mañana, de la gran hispanidad del futuro, ese que ya no tendrá patria
ni fronteras geográficas, ~~[tachado]~~ tendrá su espíritu inmortal
~~[tachado]~~ cantaré el N en la pasión, el S. con el orgullo
al S. en el lago de la historia y el occidente con
una puerta inmensa que mire al mar y a mi cielo
de nuevas constelaciones -- ~~Ese~~... no sería yo
ni franquista ni republicano ni monárquico tampoco. Seré un ciudadano del Reino de la Poesía
Un reino de 4 dimensiones donde la Historia
la organiza el Viento --- que es el aliento sagrado
y amoroso de DIOS.

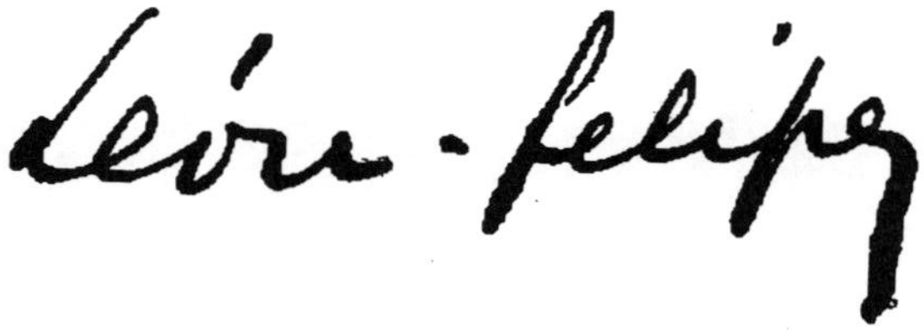
León-Felipe

ESPAÑA Y EL VIENTO
de LEÓN FELIPE

Editado en *Libertarias*/**Prodhufi, S.A.**
presidida por *Carmelo Martínez García.*
La impresión se realizó sobre
offset editorial de 80 g/m^2
en *Gráficas Rogar, S.A.*
y se encuadernó en pliegos de 32
cosido con hilo vegetal y cubiertas
de cartulina 230 g/m^2
en *Pefra, S.L.*

18/IX/1993
(25 aniversario de su muerte)